東海大学男子柔道部監督
上水研一朗 監修

一本がとれる！

柔道 立ち技 必勝のコツ55 新版

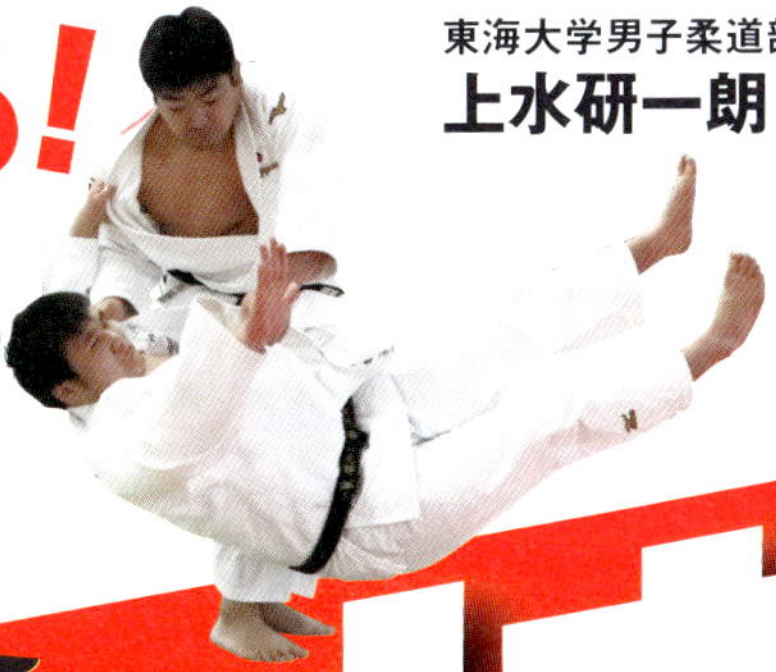

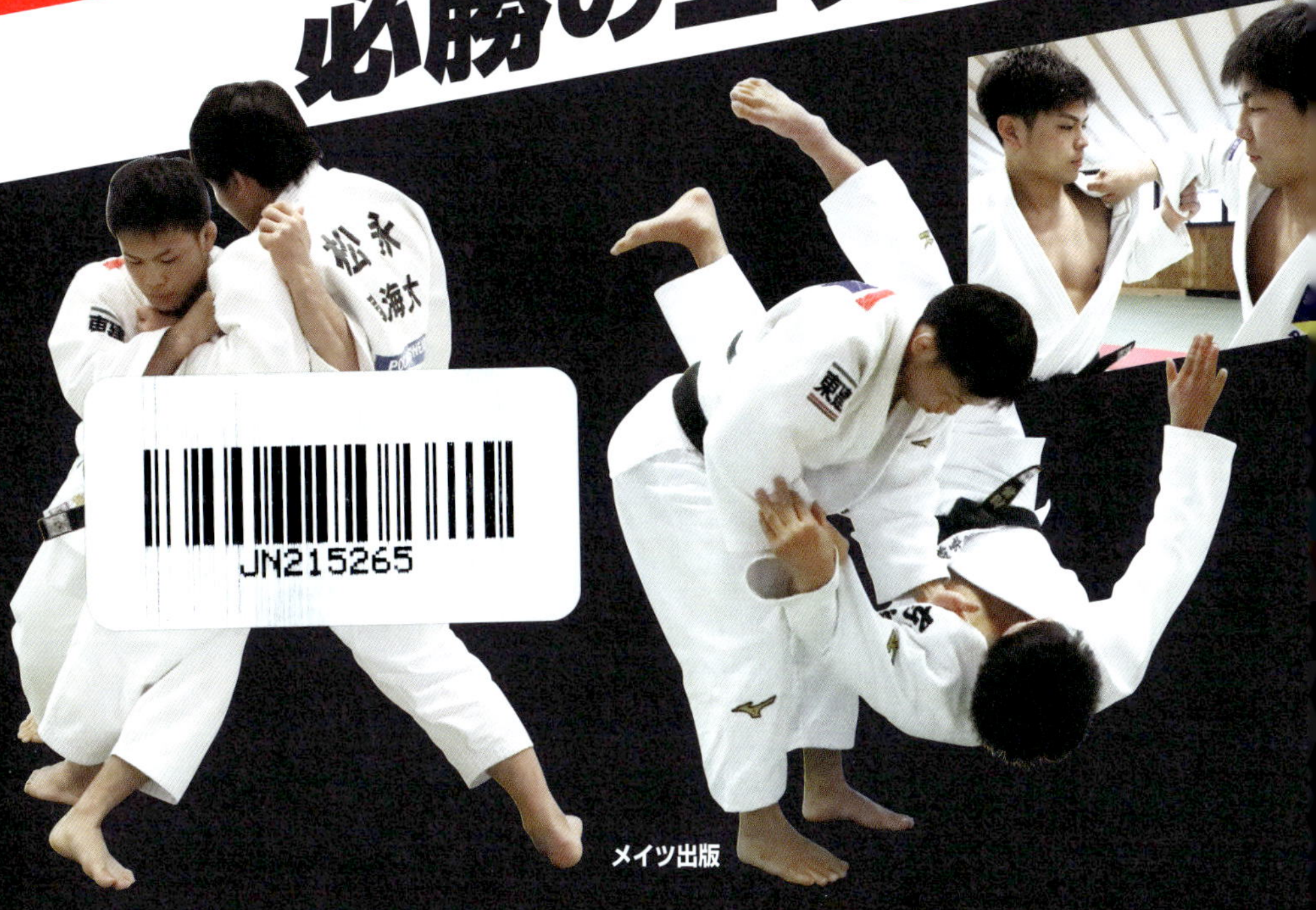

メイツ出版

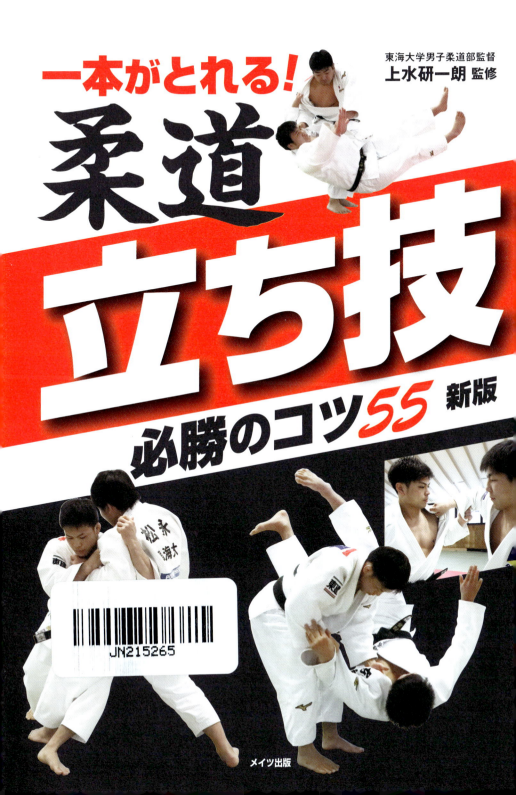

はじめに　～現代柔道に必要な心技体の柔軟性～

武道、とかく柔道では、よく「心技体」という言葉が使われます。みなさんは、この「心技体」という言葉を聞いて、何を思い浮かべるでしょうか。あるいは、この「心技体」をどうすることが望ましいと思われますか？

「鍛える」という言葉が真っ先に浮かんでくる方が多いのではないでしょうか。あるいは「充実」という言葉かもしれません。心、技、体のすべてを「鍛える」、あるいは「充実させる」ことが、武道の精神であり、勝利への近道と考える方が多いのではないでしょうか。

私自身、この発想は間違っていないと思いますし、とても大切なものであると考えます。しかし、どのように「鍛える」のか、どう「充実させる」のかという点では、常に移り変わる世の中で変化させていかなければいけないと思います。ただ漠然と「鍛える」「充実させる」では、費やした時間、労力の割りに得られる成果はまちまちになってくると思われます。そこで必要になってくるのが「柔軟性」です。心の、技の、体の柔軟性です。

●「心」の柔軟性

心の柔軟性とは、発想の柔らかさを表しています。ルール変更などを柔軟に受け止め、自分の柔道に反映させる思考の柔らかさです。発想の柔らかさは技の柔軟性とも関連するのですが、たとえば背負投が得意な選手は普通に考えると背負投で一本取りたいと考えるのは自然なことです。しかし、相手が自分よりも小さかった場合、背負投で投げるのは非常に難しいと言わざるを得ません。得意技で投げたいというこだわりを持つあまり、柔軟性がなくなってしまうと、試合に勝つのは難しくなってしまいます。ルールの変更なども同様です。柔道は比較的頻繁にルール改正が行われていますが、その変化にスムーズに順応していかなければ、取り残されてしまいます。同時に、綺麗に投げて一本を取るということばかりに執着しすぎるのも、自分の可能性を狭めてしまうと私は思っています。ルールが変わり、判断基準が変化する以上、かつての価値観のままでは対応できなくなります。現代社会も同様で、違いを認め、その変化に柔軟に対処できる多様性が求められています。多様性を持ち、自らの価値観を変えていく柔軟性も、世界で結果を残すには大切なことと思われます。

●「技」の柔軟性

次に技の柔軟性ですが、いま触れた通り、得意技にこだわりすぎてしまうと、必ず苦手なタイプというものを作ってしまいます。柔軟な思考で得意技以外の技も覚え、それを試合で使うことによって投げるパターンも増えますし、それにより得意としていた技も一層引き立たせることができるでしょう。また、相手のタイプに応じて効果的な技をかけられるようになれば、苦手なタイプもなくなり、より勝ち進める可能性が高くなります。技の多さは身を助けると信じ、技の柔軟性を磨きましょう。

●「体」の柔軟性

そして体の柔軟性。柔道に限ったことではありませんが、体の柔らかさは選手寿命を長引かせてくれます。体が柔軟であれば、怪我をしにくい肉体に変化し、長期間休むということも少なくなり、継続した練習が可能になります。現代柔道はスピードが速くなり、動きもより複雑化しました。それだけ柔道は激しさという点で進化しており、身体を柔軟にして可動域を広げ、様々な動きに対処できる肉体を求めていく時代になってきています。

柔道の「強さ」を求める上で、この「柔軟性」は欠かせないキーワードと思われます。何せ『柔』道なのですから。本書では、対戦する選手のタイプに応じた組手の作り方や効果的な技など、「心技体」のうちの「技」に関して解説しています。相手に柔軟に対応して、現代柔道を勝ち抜く「技術」を身につけてください。

上水研一朗

目次

※本書は2018年発行の『一本がとれる！柔道　立ち技　必勝のコツ55』を「新版」として発売するにあたり、内容を確認し一部必要な修正を行ったものです。

本書の使い方

・Point1～3
このページで解説する技を、3つのポイントで解説しています。

・該当Point
左ページで解説しているPoint1から3の、該当場面を記しています。動作順とは限りません。

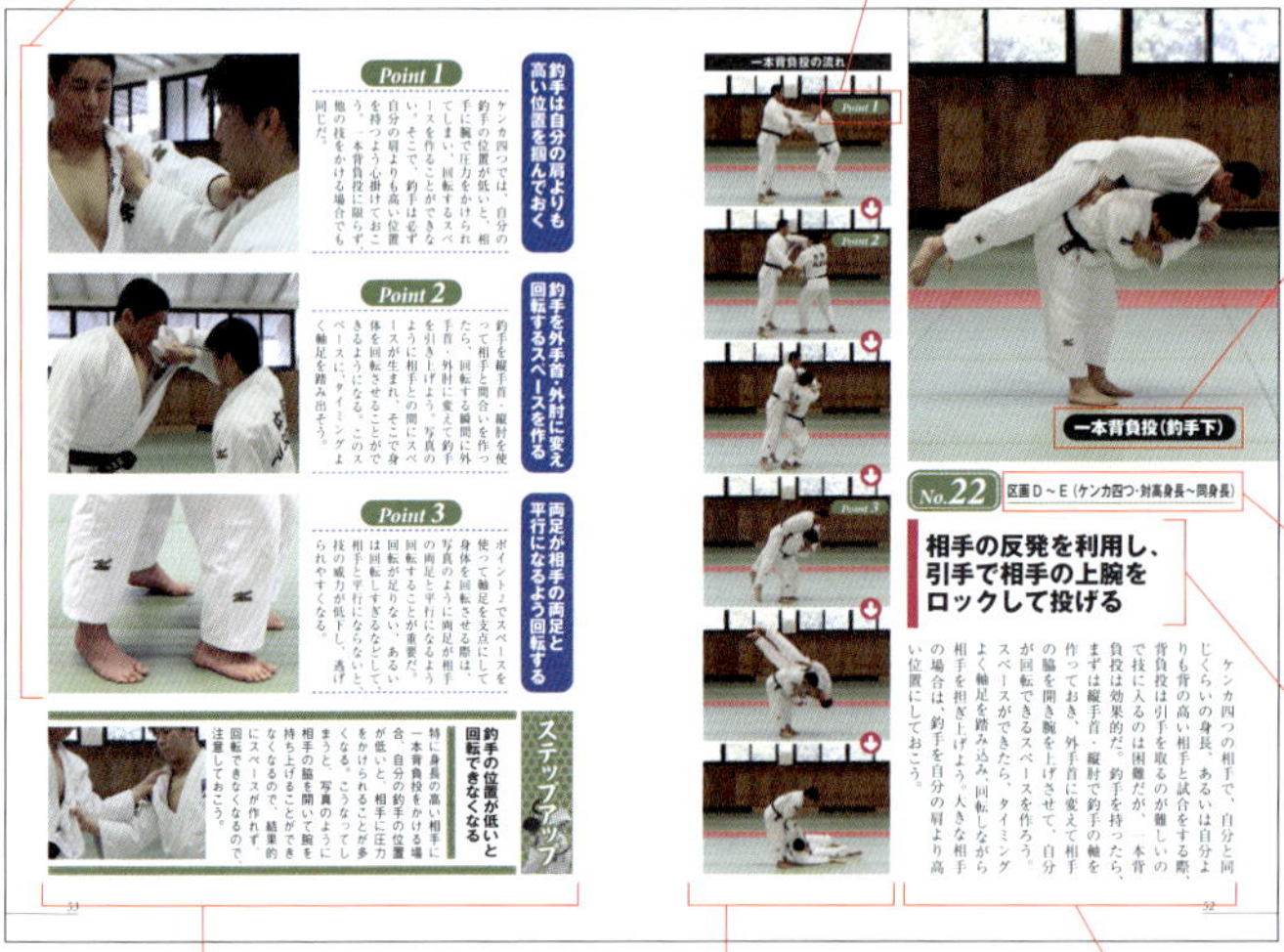

・技の名称
このページで解説する技名を記載しています。一部、技名ではなく各章の内容に対応した基本事項等の場合もあります。

・対象区画
6区画理論による対象区画を記載しています。

・タイトル
このページで解説する技を、具体的な表現で記載した見出しです。

・ステップアップ
Point以外の大切な事項などを記載しています。

・6分割の連写
このページで解説する技を、6枚の連写で掲載しています。

・本文
このページで解説する技の概要を記載しています。

第一章

組手を制する

組手争いは、勝敗を決定する要素の割合が、7割とも8割とも言われるほど重要なもの。対戦する相手のタイプに応じたさまざまな組手を覚え、試合を優位に進めよう。

6区画理論の区画分けと効果的な技・ビッグ6

	相四つ	ケンカ四つ
対高身長	区画 A 効果的な技 背負投 大内刈	区画 D 効果的な技 体落 大内刈
対同身長	区画 B 効果的な技 背負投 大外刈	区画 E 効果的な技 体落 内股
対低身長	区画 C 効果的な技 大外刈 払腰	区画 F 効果的な技 内股 払腰

No.01 基本事項

6区画理論の基礎知識とビッグ6を覚える

柔道の試合中に、原因ははっきりしないが苦手なタイプだな、と思う選手は多いのではないだろうか。ケンカ四つの相手が苦手であるとか、自分よりも小さい相手とは戦いにくい、といったことだ。実は苦手意識というのは明確な理由が存在していることがほとんどであり、先に挙げた「小さい相手が苦手」なら、「対低身長」に効果的な技を持っていない場合が多い。背負投を得意としている選手は、その背負投を使って投げたいと思っていることがほとんどである。しかしながら、自分よりも小さい相手を背負投で投げるのは、非常に難しく、そのため小さい相手が苦手、となってくるのである。

柔道においては、相手のタイプに合わせて効果的な技をかけられるようになるのが、苦手を克服する上で非常に大切であり、これこそが6区画理論に基づく考え方なので覚えておこう。

相四つとケンカ四つの違いとそれぞれの効果的な技

Point 1

相四つの場合、自分の釣手は相手にとって引手、自分の引手は相手にとっての釣手となる。ケンカ四つでは、釣手同士、引手同士がケンカすることになると同時に、両足の向きがハの字になり、刈足同士が近づくことになる。このような違いから、技術も変化が必要になる。

身長差による違いとそれぞれの効果的な技

Point 2

たとえば自分よりも小さい相手であれば、内股は非常に効果的な技となる。背負投が得意なのであれば、対高身長の方が相手に潜り込みやすくなるのは容易に想像できるだろう。このような観点から、表を再度見直してみて、自分に適した柔道を確認してほしい。

ビッグ6は柔道で根幹となる技

Point 3

ここで解説したように、相手のタイプによって効果的な技は違ってくる。背負投と体落は担ぎ技、払腰と内股は跳ね技、大外刈と大内刈は刈り技に分類され、試合でも多く使われる技と言える。このビッグ6をすべて自分のものにできれば、苦手なタイプ克服への近道となる。

ステップアップ

ビッグ6を補助するスモール4を知っておく

ビッグ6について解説したが、この6つの技を覚えればすぐに投げられるようになるかと言えば、それはまた違う話である。一つの技を単発でかけて一本を取るのは、実際の試合では難しい。そのためには、連続して技をかけたり技を連絡することが重要になってくる。そこで活用してほしいのが、小内刈、足払、支釣込足、小外刈のスモール4だ。この4つの技単体で一本を取るのも難しいが、ビッグ6を補助し連携させながら技をかけることで、相手を投げることができるようになる。

No.02 基本事項

相手との間合い、正方形ボックス、ひし形ボックス、一直線を知る

　ボックスという言葉を覚えておこう。ボックスとは、お互いの釣手と引手、胸のラインで構成される相手との間合いのことである。このボックスには「正方形ボックス」「ひし形ボックス」があり、ボックスを潰した状態である「一直線」の3種類がある。

「正方形ボックス」は、組み合ったとき、相手との間に正方形に近いスペースが形成されている状態で、間合いを取っている、これは安全な距離を保っている状態と言える。この状態から攻撃を仕掛けようとする場合、引手を引くなどして相手を崩すことになる。この過程で正方形だったボックスは変形し、ひし形になる。この状態が「ひし形ボックス」だ。さらに徐々に間合いを詰めると、相手を引き付けるため、ボックスが潰れ相手と胸を合わせた状態、つまり「一直線」になる。この3種類の間合いを覚えておこう。

正方形ボックスの意味と作り方

Point 1

正方形ボックスの状態では、意識的に相手との間にスペースを作り、自分の力が相手に伝わっている安定した状態。相四つに限らず、ケンカ四つでも共通だ。特に自分よりも大きい相手と対戦する場合、この正方形ボックスを維持するような組み手争いが重要になる。

ひし形ボックスの意味と作り方

Point 2

正方形ボックスの状態のままでは、技をかけるのは難しい。そこで、攻撃を仕掛ける場合は、引手を引いて相手を崩すなどの動作が入ることになり、正方形だったボックスはスペースを崩し、ひし形になる。引手を引き付けて脇を固定し、相手を前に引き出そう。

一直線の意味と作り方

Point 3

背負投など、自分が回転してかける技で間合いを潰すことはないが、大外刈や大内刈などの場合は、ひし形ボックスだった間合いを完全に潰して、一直線にしてしまおう。この正方形からひし形、一直線という動作の変化を意識しておくことが重要だ。

それぞれの形を状況で使い分ける

ポイント3で触れたとおり、大外刈や大内刈などでは、相手を引き付けて胸を合わせてしまうことが重要だが、背負投や内股など、間合いを作り身体を回転させる必要がある技の場合は、正方形ボックスからひし形ボックスを作る際、腕時計を見るようなイメージで引手を返し引き出すことが重要だ。このように、同じひし形ボックスでも、技によって引手の引き方を使い分ける必要があるので、この点を意識しておこう。

No.03 基本事項

重要な釣手の手首4パターンを覚える

技をかける際に重要な釣り手の使い方は、大きく4種類に分けられる。相手と向き合い普通に襟を掴んだ状態から、親指側を自分の方に向けると、いわゆる手首を立てた状態になる。この「手首を立てた」状態から、自分に有利な組手を作るために、手首と肘を縦・外・内・逆の4方向に操作していくことで、相手との間合いを自在に操れるようになるのだ。

この4方向の釣り手手首のパターンを、それぞれ①「縦手首・縦肘」、②「外手首・外肘」、③「内手首・内肘」、④「逆手首・逆肘」と名付けた。この4種類の使い方を覚え、意識的に利用していくことが重要であり、6区画それぞれのタイプによって、使い方が異なってくることを確認しておこう。この釣手手首の4パターンをしっかり覚えることで、組手を制し、勝利を手繰り寄せよう。

① 縦手首・縦肘

手首を立てて縦にし、肘も縦にしている状態。組手における釣手のもっとも基本的な形だ。

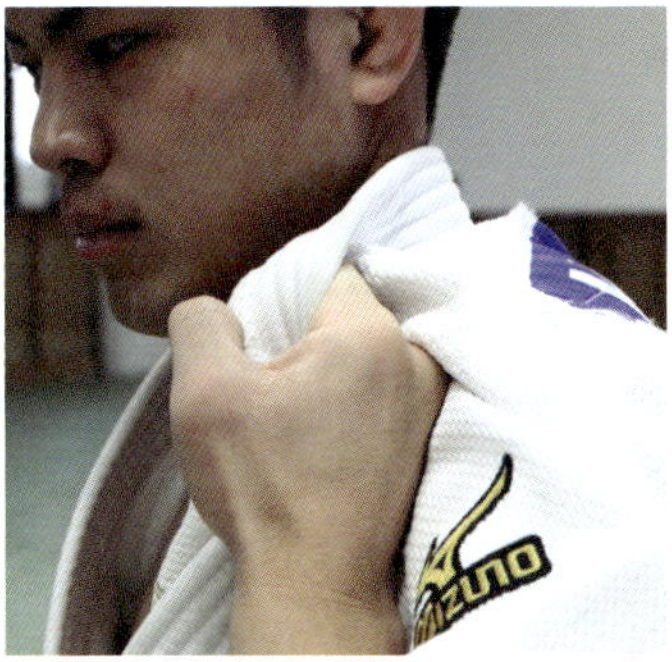

② 外手首・外肘

手首も肘も外に向けている状態。奥襟で相手を引き付けるときや、ケンカ四つで間合いを取りたいときに利用する。

③ 内手首・内肘

手首も肘も内側に向いている状態。相四つで相手の引手をずらしたり、ケンカ四つで相手の釣手の侵入を防ぐときに利用する。

④ 逆手首・逆肘

手首を逆にして肘が上を向いているような状態。自分の釣手の位置を上げたり、ケンカ四つで相手の釣手を広げたりするときに利用する。

組手争いの流れ

No.04 区画 A ～ C（相四つ）

組手の基本／対相四つ

相四つは、引手と釣手の両方が相手と全く同じであり、刈足も同じ側になるため、お互いの胸が合うのが特徴だ。刈足も同じ側になるため、カタカナの二の字のように立ち位置が平行になる。相手と組み合ったとき、自分の引手（相手にとっては釣手）は、引いておくのが理想であり、これを可能にするために、肘を脇腹につけるよう心がけよう。釣手は縦手首・縦肘にしておくのが基本であり、重心は前後の割合を5：5、または4：6で安定させ、バランスよく構えるようにしておこう。

引手を引いて脇を絞めて固定する

Point 1

引手は相手の袖を順手で持ち、肘を脇腹に付けるように引き付け、できるだけ固定させておく。肘を脇腹に付けておかないと体勢が安定せず、それがバランスを崩す原因にもなる。バランスを崩せば、当然、姿勢も悪くなってしまうので、不利な状況を作り出してしまう。

逆手にして引手を押すと切られる

Point 2

ポイント1で引手を順手で持ち脇腹に付ける行為は、引手の消耗を防ぐと同時に、切られることを防ぐことも目的としている。逆手にして引手を押した場合、写真のように相手に引手を切られてしまう。この場合、体勢を作るのが難しくなるので注意しておこう。

釣手は縦手首・縦肘が基本

Point 3

釣手は可能な限り自分の肩の高さと同じか、あるいはやや上を持つ。相手の鎖骨に自分の釣手の手首を乗せるような形が理想で、正方形ボックスを保ちやすくなる。その上で、手首はNo.03で解説したように、縦手首にしておくと、柔軟に対処がしやすくなる。

ステップアップ

組手はカメラの撮影と同じと考える

組手の作りは、スマートフォンで写真撮影するのと似ている。引手はスマホを持つ手で、釣手がピント調節する機能であると考えよう。より具体的に言えば、スマホを持つ手は固定させておかないと、なかなか被写体をしっかりと捉えることは難しい。これが引手の役割である。いい写真を撮るには、スマホをしっかりと固定した上で、ピントを合わせるための調節をすることが重要になる。釣手の役割は、ピンボケしないよう修正する機能なので、それぞれの役割を考えておこう。

組手争いの流れ

有利な組手の作り方

No.05 区画Ｂ（相四つ・対同身長）

刈足を前に出して引手を引いて固定し、釣手を整えていく

自分と同程度の身長の相手と試合をする場合は、体格が同等であるため、いかに攻撃を仕掛けやすい体勢にするかが重要である。

そのため、引手と釣手の両方が持てたら、刈足を前に出し相手との空間をできるだけひし形のボックスにするように、引手は引いた位置で脇を絞めて固定させておこう。この状態を作ってから釣手が有利になるよう整える作業が必要になる。縦手首・縦肘と外手首・外肘を何度も繰り返しながら、徐々に自分が技をかけやすくなるような有利な形に近づけていこう。

刈足をより前に出してひし形ボックスを形成する

Point 1

同じくらいの身長の相手と対戦する場合、引手と釣手を持ったら、刈足を通常よりもさらに前に出して、相手との空間（間合い）を、写真のようにひし形のボックスになるよう形成しよう。この状態は攻撃を仕掛けるときに技が出しやすくなる。

引手は引いて脇を絞めしっかり固定しておく

Point 2

引手が持てたら、脇を絞めてその場で固定させる。相手の釣手を切ろうと試みた場合、頻繁に切っていると自分の腕が消耗し、握力がなくなってしまう。脇を絞めることで、無駄に力を使うことなく、温存することができるので、脇を絞めて密着させておくといい。

外手首と外肘、縦手首と縦肘を使って釣手を整える

Point 3

外手首と外肘（右写真）、縦手首と縦肘（左写真）を交互に使いながら、徐々に釣手を整えよう。相手も全力で自分の組手を作ろうとしているので、簡単に自分が有利になるわけではない。何度も繰り返しながら、徐々に自分の有利な形に近づけていこう。

ステップアップ

『しっくり』する釣手の位置を探し当てる

ポイント3で、徐々に自分の有利な形に近づけていくと説明したが、釣手は特に、握った瞬間、ベストの位置が取れることはまずない。一度握ったら、ポイント3を何度も繰り返しながら『ここだ！』と思える場所を探し当てることが重要だ。『しっくり』こない場所を持って技をかけても、投げることはできず、逆に掛け逃げの反則を取られたり、ケガへのリスクも高くなる。

組手争いの流れ

No.06 区画 A（相四つ・対高身長）

正方形ボックスを形成して引手を固定し、釣手の可動域を確保する

自分よりも背の高い相手と試合をする場合は、体格で相手が勝っているため、引き付けられてしまうと、圧倒的に不利な状態となる。そこで、相手との間に正方形のボックスを作り、より安全な間合いを確保することが重要だ。

そのためには、自分の釣手は手首を立てて相手の鎖骨付近に当てるとともに、引手（相手の釣手）は相手の肘を下げさせて自分の方に引き付け、相手の釣手が上がらないように心がけよう。この状態を頻繁に作れれば、優位に試合を進めることができる。

Point 1

相手との間合いを作るために正方形ボックスを形成する

身長が高い相手と対戦する場合、体格で相手が勝るため、胸を合わせて相手と密着してしまうと、非常に不利な状態と言える。写真のよう相手との間に正方形のスペースを作る意識を持っておこう。この状態であれば、自分の力が相手に伝わり、安定した状態を保てる。

Point 2

相手の釣手を下げ引手と顎で固定しておく

相手の釣手の位置が高いと、引き付けられてしまい、ボックスも潰されてしまう。こうなってしまうと、投げられる危険性が高くなる。そのため、引手と顎を使い、相手の釣手の位置を下げ、固定させておこう。こうすることで、相手との間合いが作りやすくなる。

Point 3

内手首と内肘、外手首と外肘を使って釣手の可動域を確保する

内手首と内肘（右写真）、外手首と外肘（左写真）を交互に使いながら、相手に近づきすぎないようボックスを作り、間合いと同時に釣手の可動域を確保しておこう。引き付けられてしまうと、相手に投げられる危険性が高くなるだけでなく、自分の釣手も自由が利かない。

ステップアップ

引手は切らずに引いておく

試合では、相手の釣手を切る行為をよく見かける。しかし、何度も力を入れて釣手を切る動作（右写真）を繰り返すと、腕の筋肉に乳酸がたまり、握力が弱まって徐々に力を発揮できなくなる。そのため、必要以上に切るのではなく、ポイント2で触れたように、相手の肘を下げた状態で、脇を絞めて引手を固定しておくことが重要だ。また、このときは相手の袖は左写真のように順手で握るといい。

組手争いの流れ

No.07 区画Ｃ（相四つ・対低身長）

胸と肩を密着させて引手を引いて固定し、刈足を前に出していく

自分よりも背の低い相手と試合をする場合は、体格で自分が勝っているため、相手を引き付けることができれば、圧倒的に有利な状態となる。つまり、No.06とは逆になるので、相手との間にある正方形、あるいはひし形のボックス（間合い）を潰すことが重要だ。引手（相手の釣手）を取ったら、引き付けて脇を絞めて固定してしまい、刈足を前に出して距離を詰める。釣手も徐々に手繰りながら相手を引き付け、胸と肩が密着するような状態を作ることができれば、断然有利になる。

ひし形のボックスを潰して胸と肩を密着させる

Point 1

No.06では、背の高い相手に間合いを潰されないようにすることの重要性を解説した。つまり、背が低い相手であれば、相手との間合いを潰して密着させてしまえば、自分が圧倒的に優位に立てるということだ。ポイント2と3を実行して、相手を引き付けよう。

引手は引いて脇を絞めしっかり固定しておく

Point 2

No.05、06同様、引手が持てたら、脇を絞めてその場で固定させておこう。相手の釣手を切ろうとした場合は、間合いが遠くなり、腕の消耗も大きくなる。脇を絞めることで、腕に余計な力を入れずに済むので、脇を絞めて密着させておくことは非常に重要だ。

外手首と外肘、縦手首と縦肘を使いながら刈足を前に出していく

Point 3

外手首と外肘（右写真）、縦手首と縦肘（左写真）を交互に使いながら、徐々にひし形を潰し、相手との間合いを詰めていこう。同時に、刈足（右の相四つなら右足）も前に出していき、相手との距離を詰めていく。ひし形を完全に潰し、胸と肩を密着させてしまう。

ステップアップ

消耗しない組手を見つける

柔道の試合において、自分が圧倒的に支配した組手になり、試合を進められるというのは稀である。一瞬のチャンスを逃さないようにするためには、自分自身が消耗しない組手を見つけ、いつでも力を発揮できる状態にしておく必要がある。

消耗しない組手とは、腕が疲弊することを防ぎ、試合の終盤まで道衣を握れる状態を作ることである。

自分の組手になろうとするあまり、常に腕に力を入れて疲弊してしまうと、終盤には力尽きて戦えなくなってしまうのだ。

組手争いの流れ

No.08 区画Ｂ（相四つ・対同身長）

引手を固定し釣手に顎を乗せ、ボックスを固定して相手の侵入を防ぐ

時間帯やポイント差、試合の流れなど、場合によっては攻めるのではなく、相手の技を防ぐことが重要になる場面もある。このような場合、相手が自分と同じくらいの身長なら、まずは釣手を使われないようにすることが重要だ。そのためには、引手を引いて固定してしまい、相手の釣手のライン上に顎を乗せるといい。釣手は相手の肩のライン上の胸の位置に置き、ボックスを固定させる。また、重心は6対4または5対5くらいのイメージで、軸足を中心に、相手の技に対応する意識を持っておく。

引手を固定し、釣手のラインに顎を乗せ、相手の釣手を使わせない

Point 1

引手と釣手の両方を持っていることが前提だが、引手は引いて脇を絞め固定させてしまおう。同時に、写真のように相手の釣手のライン上に顎を乗せて固定しておくといい。これを行うことで、相手は釣手が使えなくなり、結果的に技を防ぐことができる。

技をかける間合いに侵入できないようにする

Point 2

釣手は、相手の肩のライン上の胸の位置に置き、内手首と内肘を使ってボックスを固定しておこう。この状態でボックスを固定しておけば、相手が間合いに侵入するのを防げる。このとき、手首が下の位置にきてしまうと、防御の姿勢の反則を取られるので注意しよう。

重心の置き方を6対4で軸足に

Point 3

相手の技を防ぎたい場合は、バランスよく重心を置いておく必要がある。そのため、軸足（後ろ足）対刈足（前足）では、6対4または5対5の比率になるよう意識しておくといい。相手の技に対応する意識と、無理して攻めないという注意も必要だ。

ステップアップ

引手の固定と顎を乗せることで相乗効果が生まれる

ポイント*1*で解説したように、相手の釣手を使わせないようにするためには、まずは引手を引いて固定してしまうことが重要だ。その上で、相手の釣手のライン上に自分の顎を乗せることで、さらに釣手を使いにくくさせる効果を生む。この両方を同時に行えば、相乗効果が見込めるため、相手に、より釣手を使われないようにすることが可能だ。

組手争いの流れ

No.09 区画 A（相四つ・対高身長）

引手で相手の胸元を突いてボックスを形成し、釣手を顎と肩でロックする

自分より身長の高い相手と試合をしていて、相手の技を防がなければいけない場面もある。対高身長の場合は、体格差があることから、ボックスを形成し、それを保持しておくことが重要だ。そこで、間合いを確保するため引手は袖を持たず、相手の胸元付近を掴んで突いておこう。こうして相手との距離を確保し、相手が釣手で襟を持った瞬間、肩と顎で釣手をロックし、胸元を掴んでいた引手を袖に持ち替える。重心はバランスよく、相手の技に対応できる準備をしておくことが重要だ。

引手で相手の胸元を持ち突いてボックスを先に作る

Point 1

相手が自分より身長が高い場合は、まずボックスを先に作ることを考えよう。相手の方が体格で勝るため、引き付けられてしまうと圧倒的に不利になるからだ。そこで、引手で胸元付近を持ち、相手の胸元を突いておこう。こうして相手との距離を取り、ボックスを作る。

相手の釣手が襟を持ったら顎と肩で釣手をロックする

Point 2

相手の釣手が自分の襟を持ったら、その瞬間に顎を引き、肩と顎で相手の釣手を挟んでロックしてしまおう。そして、その状態を保ったまま、引手を、袖を掴んでいた引手を、肩口に持ちかえる。釣手は内手首と内肘を使って、相手の侵入を許さないよう注意しておく。

重心は対同身長同様6対4で軸足に

Point 3

自分よりも身長が高い相手の場合は、特に組み際の技に注意しておこう。体格差は力だけでなく、リーチなどにも現れるため、組手争いも相手の方が有利になる。また、両手を持ったら同身長のとき同様、重心はやや軸足に置き、技に対応できる状態を作っておく。

ステップアップ

攻めようとして侵入を許すと瞬時に不利になる

相手の技を防ぐ必要がある状況において、無理に攻めに転じようとすると、自らボックスを潰して相手の侵入を許してしまいかねない。こうなると、攻めるどころか一気に不利になってしまい、相手の技を防ぐのが難しくなる。消極的な反則を取られてはいけないが、状況を正しく判断し、技を防ぐことが重要な場合には、まずはボックスを形成することに注力しよう。その上で自分が安心できる状態や立ち位置を形成し、攻撃のタイミングを計り攻めに転じることが重要だ。

組手争いの流れ

No.10 区画Ｃ（相四つ・対低身長）

襟を持って 相手の横腹を押し、ボックスを完成させて 相手の回転を防ぐ

自分よりも身長の低い相手との試合で、相手の技を防がなければいけない状況では、相手が懐に潜り回転することを防がなければならない。背が低い相手は、背負投など懐に潜る技を得意とするケースが多いからだ。そのため、引手を引いて固定したら、釣手は襟を持って相手の横腹を押すようなイメージを持っておく。こうしてボックスを形成したら、釣手は縦手首と縦肘を使い、ボックスを完全に作り上げてしまう。なお、相手が身長の高低に関わらず、重心はやや後ろ足に置いておく。

釣手を使わせず襟を持って横腹を押す

Point 1

相手が自分より身長が低い場合は、背負投などで潜ってこられることに注意したい。そのため、引手は襟を持って相手の横腹を押すようなイメージを持っておこう。これで相手に釣手を使わせず、かつボックスを形成して潜れない形を作ってしまうことができる。

ボックスを完成させ相手に回転させない

Point 2

釣手は、縦手首と縦肘を使って、相手との間にしっかりとボックスを完成させよう。こうすることで、相手は回転できなくなるため、技を防ぐことができる。対高身長の場合も同じだが、攻めようとしてボックスを潰してしまうと、潜られる危険が高くなるので注意しよう。

相手の技を防ぐ場合は重心はバランスよくが基本

Point 3

相手が自分より小さくても、技を防がなければいけない状況では、重心を前に置いてしまうのは危険だ。技を防がなければいけない状況のときは、5対5あるいは6対4くらいのイメージで、バランスよく、やや軸足に重心がくるような待ち方をしよう。

ステップアップ

防ぐときの重心は6対4 攻めるときは7対3

技を防ぐ場合のバランスのとり方は、6対4または5対5で軸足にやや重心を置くのが基本だ。しかし、攻めに転じる場合は、7対3あるいは8対2くらいのイメージで軸足に重心を移そう。刈足がいつでも動けるよう準備しておくことが重要だ。

攻めるときは7：3で軸足に重心を移す

基本は重心をやや軸足に

組手争いの流れ

No.11 区画 A（相四つ・対高身長）

引手で相手の胸を持って釣手をコントロールし、逆の技を出せる準備をしておく

試合中は、必ずしも自分が有利な組手であるとは限らない。不利な組手になってしまった場合の対処方法を知っておくことは重要だ。特に自分より体格で勝る大きい相手では、より対処が難しくなるので、ここでは対高身長の相手に対して、不利な組手になってしまった場合の対処法を解説しておく。もっとも、現在のルールでは、組ませない行為は反則になってしまうため、相手の釣手をコントロールすることと、不利な状況を逆に利用する技を習得しておくことこそが、最大の対処法だ。

その時々のルールを理解し組んでからの対処法を身につける

Point 1

柔道は比較的頻繁にルールの改正が行われる。改正されたその時々のルールを正しく理解しておくことは、とても重要なことだ。ただし、相手と『組む』行為は不変なので、組んでからの対処法を自分なりに身につけておかないと、反則を取られることが増えるだろう。

釣手を持たせない行為は反則切らずに両手でコントロールする

Point 2

2021年12月現在、相手に釣手を持たせない行為は反則だ。そこで、相手にしっかり持たれ自分が不利であると感じたときは、引手と顎を使って相手の釣手を固定することを考えよう。釣手をコントロールできていれば、技に入られる危険性を低くすることができる。

誘っておいて逆の技を出せるようにしておく

Point 3

現在のルールでは、組手だけで不利な状況を脱却するのは、ほぼ不可能だ。そこで、自分より大きい相手に引き付けられてしまった場合など、その状況を利用して、相手の後ろ帯を掴んだ大内刈で投げるなどの技術を習得しておこう。技の多彩さは己を助けることになる。

ステップアップ

不利な状況の対処が自分を進化させる

No.07（P21）のステップアップでも述べたように、試合中に自分が有利になる組手になることは少ない。というより、稀であると言った方が正しいだろう。これは、試合を経験したことのある選手であれば、多くの人が、実感していることではないだろうか。

むしろ不利な状況において様々な対処ができれば、相手に応じて柔軟に対応することができるようになるだろう。これができるようになると、余裕を持って試合を進行させることができるようになる。

組手争いの流れ

No.12 区画Ｄ～Ｆ（ケンカ四つ）

組手の基本／対ケンカ四つ

ケンカ四つでは、お互いの釣手が邪魔をするため、胸が合わない状況というのが生まれる。また、釣手を上から持ちたいのか、下から持ちたいのかといった駆け引きも生まれるため、複雑で高度な技術を要するのも、ケンカ四つの特徴だ。そのため、上からでも下からでも出せる技を習得しておくことが大切になる。また、上から持った場合は「閉じる」、下から持った場合は「開く」といったように、基本的な釣手の使い方に差があるので、このポイントをしっかり押さえておこう。

対同身長の相手では「上から」と「下から」に分かれる

Point 1

ケンカ四つでは、お互いの釣手が邪魔をして、胸が合わない状況が生まれる。また、同身長の場合は特に、釣手を上から持ちたいのか、下から持ちたいのかで組み手争いに複雑な技術が求められることになるため、どちらで組んでも出せる技を習得しておくことが重要だ。

釣手を下から持つ場合は「下からは開く」が基本

Point 2

相手が自分よりも大きい場合は、釣手を下から持つことが多くなる。この場合、頭が下がってしまう可能性が高く、不利な状況になってしまう。そこで、下から釣手を持った場合は、写真のように縦手首、外手首を使って腕を開きながら、高い位置を保つよう心がけよう。

釣手を上から持つ場合は「上からは閉じる」が基本

Point 3

相手が小さい場合は、釣手を相手の釣手の上から持つことが多くなる。この状況で自分の釣手が緩み、相手の釣手の位置が高くなると、不利な状況になってしまう。そこで、上から持った場合は、縦手首と顎を使い、腕を閉じて相手の釣手が上がってこないようにする。

ステップアップ

引手は抱き込む

写真のように、引手は外から抱き込むように取ろう。ただ単に掴もうとすると、相手に逆に手首を使われて、巻き返されてしまうので注意が必要だ。

組手争いの流れ

有利な組手の作り方

No.13 区画Ｅ（ケンカ四つ・対同身長）

引手は外から取って固定し、釣手は下から取る場合と上から取る場合を使い分ける

No.12では、ケンカ四つの場合の組手の基本を解説した。ここでは、身長が同じくらいのケンカ四つの相手に対する、有利な組手の作り方を解説していく。まず引手だが、これは外から袖の下側を抱き込むように握るのが基本中の基本だ。そして脇を絞めて引き付け、自分の腹の位置で固定させておく。その後、釣手で相手の襟を「上から」取る場合と、「下から」取る場合の基本を覚えておけば、有利な組手を作ることができる。そして、しっかりボックスを作り、優位に試合を進めよう。

引手は外から取り抱え込んで固定する

Point 1

ケンカ四つでは、相手の身長の高低に関わらず、相手の袖の下側を、外側から抱き込むように握るのが基本だ。このとき、手首を小指側に回転させるイメージを持っておく。握ったら小指を中心に袖を手繰り寄せ、脇を絞めて自分の腹に引き寄せ、固定しておこう。

下から釣手を取る場合は位置を鎖骨まで上げる

Point 2

釣手を下から取る場合、位置が低いと不利になってしまう。そこで、写真のように縦手首・縦肘から、外手首・外肘に変えて相手の釣手の脇を開かせ、縦手首、縦肘に戻しながら釣手の位置を上げていこう。これを何度か繰り返し、鎖骨の位置に修正する。

上から釣手を取る場合は相手の釣手を上げさせない

Point 3

釣手を上から取った場合は、相手の釣手を上げさせたくない。そこで、顎を相手の手首の上に乗せ、いったん釣手の位置を高くする。その後、内手首・内肘を使って自分の釣手を絞り込んで中に入れて固定してしまおう。これで体勢を整えれば自分が有利な状態を作れる。

ステップアップ

相四つはパワー系 ケンカ四つはテクニック系

相四つの相手はやりにくい、あるいはケンカ四つは苦手だ、などと感じたことはないだろうか。逆の言い方をすると、相四つ、もしくはケンカ四つが得意と思っている場合もあるだろう。

実は相四つは、パワー系の柔道を得意としている選手が、ケンカ四つはテクニック系の柔道を得意とする選手が好む傾向にある。ケンカ四つは、釣手同士が邪魔をして、ボックスを作る、潰すといった攻防が、相四つに比べて色濃く反映され、力よりも技術をより必要とするからだ。

組手争いの流れ

No.14 区画D（ケンカ四つ・対高身長）

袖は外から下側を握り、外手首・外肘を使って釣手を滑り込ませて姿勢を正す

自分よりも背の高いケンカ四つの相手の場合、注意しなければいけないのは、釣手を上から持たれ、圧力で頭を下げられてしまうことだ。その対策として、釣手を持ったら、まずは引手を外側から取り、自分の腹に引き寄せて固定させておく必要がある。その上で、外手首・外肘と縦手首・縦肘を使い釣手を中に潜り込ませた後、その位置を相手の鎖骨付近の高さにキープしておくことが重要だ。そして頭を下げないよう姿勢を正し、刈足を相手より前に出しておけば、優位に試合を進められる。

引手は相手の袖の下側を外から握る

Point 1

No.13では、引手は相手の身長の高低に関わらず、相手の袖の下側を、外側から抱き込むように握るのが基本であると解説した。ここでももちろん同様だ。まず手首を小指側に回転させるイメージで袖を握り、小指を中心に袖を手繰り寄せ、自分の腹に引き寄せ固定する。

スペースを作り釣手を滑り込ませる

Point 2

釣手を取ったら、外手首・外肘を使って相手の釣手の脇を開かせ、スペースを作り出そう。そして縦手首・縦肘に変えて釣手を滑り込ませる。外手首・外肘、縦手首・縦肘を繰り返しながら、滑り込ませた釣手を、相手の鎖骨付近の高い位置でキープさせる。

刈足を前に出しながら、姿勢を直線的にする

Point 3

ケンカ四つの場合、相手の身長が高いと、前屈みになってしまいがちだが、これでは不利な状態だと言わざるを得ない。釣手を高い位置にキープさせると同時に、頭が下がらないよう、直線的な姿勢を意識しよう。また、刈足を相手よりも前に出しておくことも重要だ。

ステップアップ

「下からは開く」は回転スペース確保のため

下から取った場合は釣手を「開く」ことが基本なのは、No.12でも触れたとおりだが、この「開く」行為には、具体的に2つの効果がある。ひとつは自分が回転するスペースを確保する、ということ。引き付けられてしまうと背負投など回転を必要とするスペースが潰されてしまうが、スペースが確保できていれば、技に入れる可能性が高い。もうひとつは、相手の力を分散させるということだ。相手の釣手が開き外から持っている状態では、力が入りにくく、技もかかりにくいと言える。

組手争いの流れ

有利な組手の作り方

No.15 区画F（ケンカ四つ・対低身長）

相手の釣手のラインに顎を乗せ、釣手の肘を入れて高い位置に置いておく

背の低いケンカ四つが相手の場合、自由に動かれてしまうと、優位に試合を進めることが難しくなってしまう。そこで、このタイプのときは、No.12で解説したように「上からは閉じる」を実践して、相手の動きを止めることを心がけよう。

そのためには、まず引手を外側から取り固定させて、その上で釣手を相手の前腕に乗せた位置から肘を入れて正方形のボックスを作り固定しよう。空間を固定し動きを止められれば、優位になることができるはずだ。

顎を釣手のラインに乗せておく

Point 1

相手が釣手を握ったら、写真のように顎を相手の釣手の上に乗せよう。こうすることで、釣手の動くスペースをなくすことができる。相手の釣手の動きを止める、あるいは鈍くさせることで、ボックスの固定がやりやすくなり、優位に立つことができる。

内手首・内肘を使い肘を入れる

Point 2

相手の身長が低い場合、釣手は上から取っているので、ポイント*1*で解説したように顎を釣手のラインに乗せて固定しながら、釣手を相手の前腕に乗せた位置から、内手首・内肘を使って肘を入れよう。肘を入れたら縦手首・縦肘に戻し正方形のボックスを固定させよう。

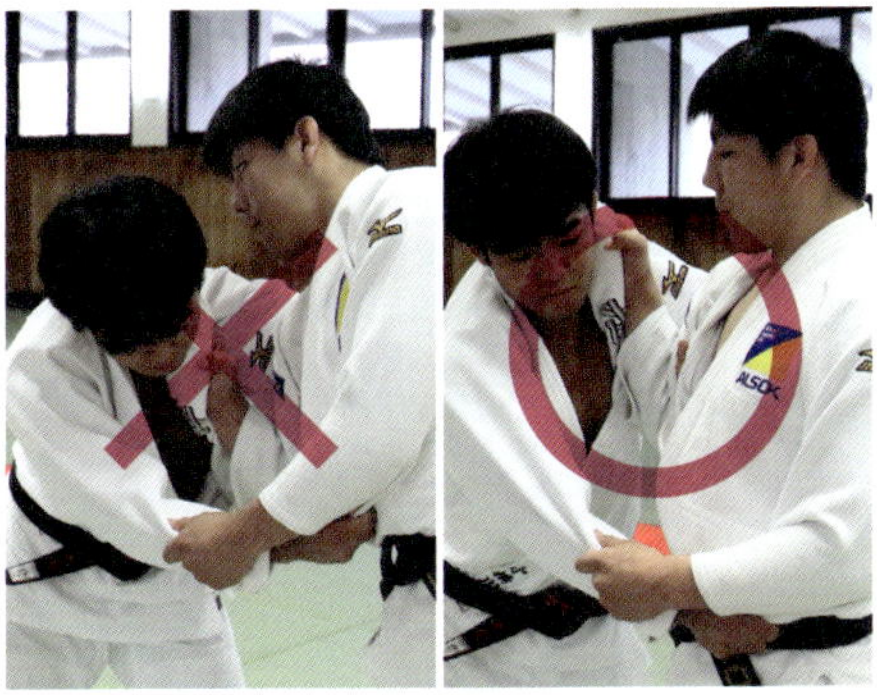

釣手を高い位置にする詰まりすぎは×

Point 3

身長が低い相手の場合は、上から圧力をかけるように姿勢を正しておこう。前屈みにならず姿勢を確保しておくと、相手との距離を縮める効果もある。また、右写真のように釣手が詰まることを避けるため、釣手の高さは自分の肩の上に持っていくことを心がけよう。

ステップアップ

「上からは閉じる」は相手の動きを固定させる

ケンカ四つで自分よりも小さい相手に対し、釣手を上から取って「閉じる」場合の最大の効果は、相手の動きを固定してしまうことだ。小さい相手というのは、よく動くことが多く、やりにくさを感じている選手も多いのではないだろうか。そのような相手の動きを固定させ、小さい相手の動きを止められれば、体格差を活かした柔道ができる。相手の動きを止め、相手が動ける空間を固定して、優位に試合を進めるためにも、「上からは閉じる」を実践しよう。

組手争いの流れ

No.16 区画Ｅ（ケンカ四つ・対同身長）

引手は引き負けず、刈足を前に出して頭を下げないよう注意しておく

ケンカ四つで同じくらいの身長が相手の場合、相手の技を防ぎたい場面なら、まず、引手を引き負けないように注意しておこう。もし引き負けて引手を引かれてしまったら、自由に動かされないよう、肘を腹につけるよう心がけよう。釣手は相手が上から取る場合は自分の釣手の位置を高く保ち、下からの場合は相手の前腕に自分の前腕を当てることで、相手の釣手の侵入を防ごう。ケンカ四つでは頭が下がると技を受けやすくなるので、姿勢を意識し重心の置き方にも注意しておこう。

引手を引き負けないよう注意しておく

Point 1

有利な組手の作り方では、引手を引いて固定しておくことがポイントだと解説した。相手の技を防ぎたい場合も、引手を引かれないように注意しよう。もし引き負けて引かれてしまった場合は、右写真のように自分の肘を腹につけて自由に動かされるのを防いでおこう。

相手の釣手の侵入を許さない

Point 2

ケンカ四つでは、上下どちらの場合でも、釣手の侵入を許すと、技をかけられる危険性は高くなる。相手が下から釣手を持った場合は、その前腕に釣手を当てることで侵入を防ぐことができる。相手が上からの場合は、左写真のように自分の釣手の位置を高く保っておこう。

姿勢を悪くせず頭を下げない

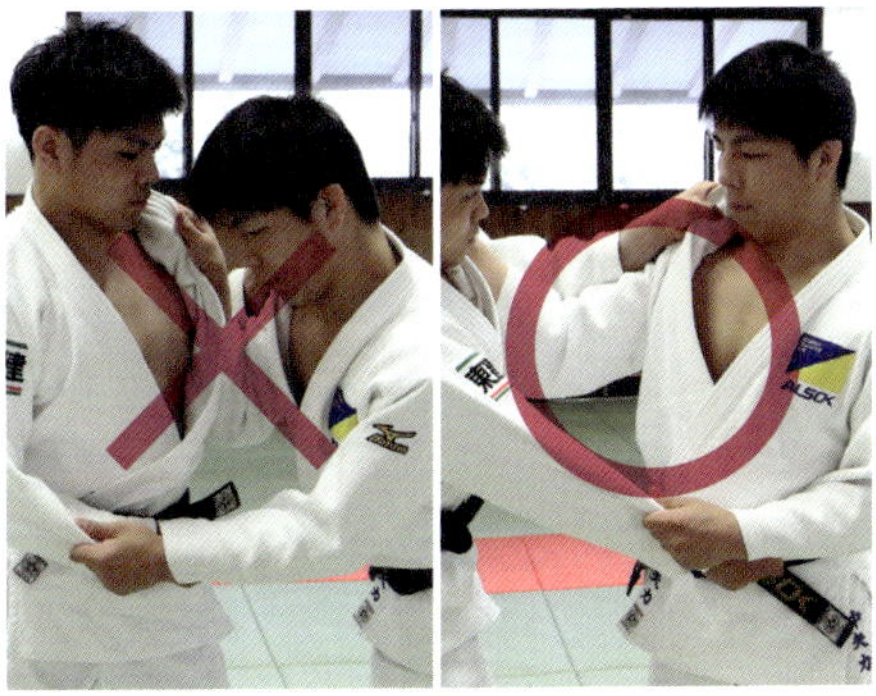

Point 3

ケンカ四つでは、左写真のように頭を下げてしまうと、技を受けやすくなってしまう。そこで、相手の技を防ぎたい場合は、意識的に姿勢を正すと同時に、重心を6対4あるいは5対5くらいのイメージで軸足に置き、バランスよく受けの意識を持っておくことが重要だ。

ステップアップ

引手を軸に釣手が動く

No.04（P15）のステップアップでも述べたように、引手を固定できていないと、なかなか自分の意図する組手にするのは難しい。引手を固定することではじめて、釣手を動かすための軸ができると覚えておこう。

ケンカ四つで組み負けているケースが多い場合は、引手が固定できておらず、軸を作れていないことが多い。もしそのように実感していて、組み負けることを改善させたいなら、引手の固定ということに意識を向けて、軸を作ることを心がけてみよう。

組手争いの流れ

No.17 区画Ｄ（ケンカ四つ・対高身長）

外手首・外肘で間合いを取り、内手首・内肘で相手の侵入を防いで再度、外手首・外肘で間合いを取る

ケンカ四つで、自分よりも身長の高い相手の場合、技を防ぐには、同じ背の高さの選手のときと同様、まず、引手を引き負けないように注意しておこう。釣手は低い位置になってしまうと、上からの圧力が強まり、頭を下げがちになってしまうので、高い位置を保つためにも、外手首・外肘、内手首・内肘を交互に使い、高い位置を保とう。高い位置を保っておけば、相手の釣手が侵入するのを防ぐことができる。また、姿勢を意識し、重心の置き方にも注意しておくことも重要だ。

外手首・外肘を使い相手との間合いを取る

Point 1

ケンカ四つで相手が大きい場合は、引手を外から持ち、自分の方に引き付けることが重要だ。同時に、釣手では外手首・外肘を使って相手の胸元を突くようなイメージで相手との間合いを取ろう。その際、自分の肩を軸にして、相手との間合いをずらすと効果的だ。

内手首・内肘を使い相手の侵入を防ぐ

Point 2

ポイント*1*で相手との間合いを取ると、相手は侵入を試みようとして、内手首・内肘を使って間合いを詰めようとするはずだ。

それに対応するため、写真のように自分でも内手首・内肘を使いながら、相手が侵入しようとするのを阻止しよう。

内から外に開いて突く

Point 3

ポイント*2*で内手首・内肘で相手の侵入を防いだら、次は再度、ポイント*1*同様に外手首・外肘を使いながら、相手との間合いを取り直そう。間合いが取れたら縦手首・縦肘に戻し、両手でボックスを固定させると同時に、姿勢もよくすることに注意しよう。

ステップアップ

組手は常に変化するミリ単位の攻防

試合中、自分の組手になったと思っても、それを長く続けることは不可能に近い。相手も必ず対応してくるからだ。それを防ぐためには、常にミリ単位で組手を修正していく必要がある。できるだけ常に修正する習慣を身につけよう。

組手は常にミリ単位で修正しよう

組手争いの流れ

No.18 区画Ｆ（ケンカ四つ・対低身長）

引手は引き負けず、釣手の前腕を相手の前腕に乗せ姿勢を正しておく

ケンカ四つで、自分よりも身長の低い相手の場合、技を防ぐには、引手を引き負けないように注意しておこう。そして、釣手は自分の前腕を相手の前腕の上に乗せて圧力をかけておくようにしよう。

このとき、相手は外手首・外肘を使って侵入を試みるので、相手の前腕にただ前腕を乗せていただけでは、脇を開けられてしまい、結果的に間合いに侵入されてしまう恐れがあるので注意が必要だ。そのため、上に乗せた釣手は、常に圧力をかけ続けることを心がけておこう。

引手を引き負けないよう注意しておく

Point 1

No.16、No.17でも解説したとおり、ケンカ四つの相手に対して技を防ぎたい場合、まずは引手を引かれないよう注意することが重要だ。外側から取られて引かれてしまうと、技をかけられる危険性が高くなる。もし引かれてしまった場合は、肘を腹につけておこう。

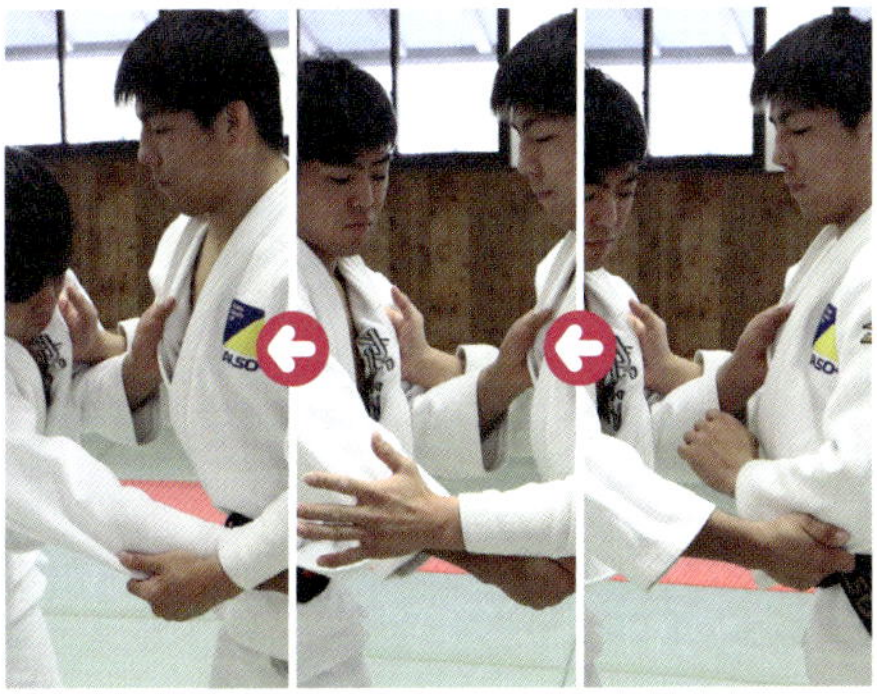

釣手の前腕を相手の前腕に置いておく

Point 2

自分よりも身長の低い相手に対し、有利な組手を作る場合は前腕を相手の前腕に乗せると解説したが、逆も同じことが言える。相手の釣手の侵入を阻止したければ、左写真のように相手の前腕に自分の前腕を乗せておくことで、相手の釣手の侵入を阻止することができる。

必要以上に腰を引いたり頭を下げたりしない

Point 3

No.16、No.17でも触れたが、いくら相手の攻撃を防ぎたいからといって、必要以上に腰を引いてしまったり頭を下げてしまうのは、むしろ技を受けやすくなるだけでなく、反則を取られる危険性も高くなる。バランスよく相手に圧力をかけ続けることが重要だ。

ステップアップ

力を伝えるポイントは道着を握る手のみ

組手の攻防でのポイントは、いかに相手の握っている手を殺すかの動作にかかってくる。特にケンカ四つの場合は、相手の手を自在に使わせないように、自分の前腕で相手の手首を封じる動きをマスターしよう。

自分の前腕で相手の動きを封じる

組手争いの流れ

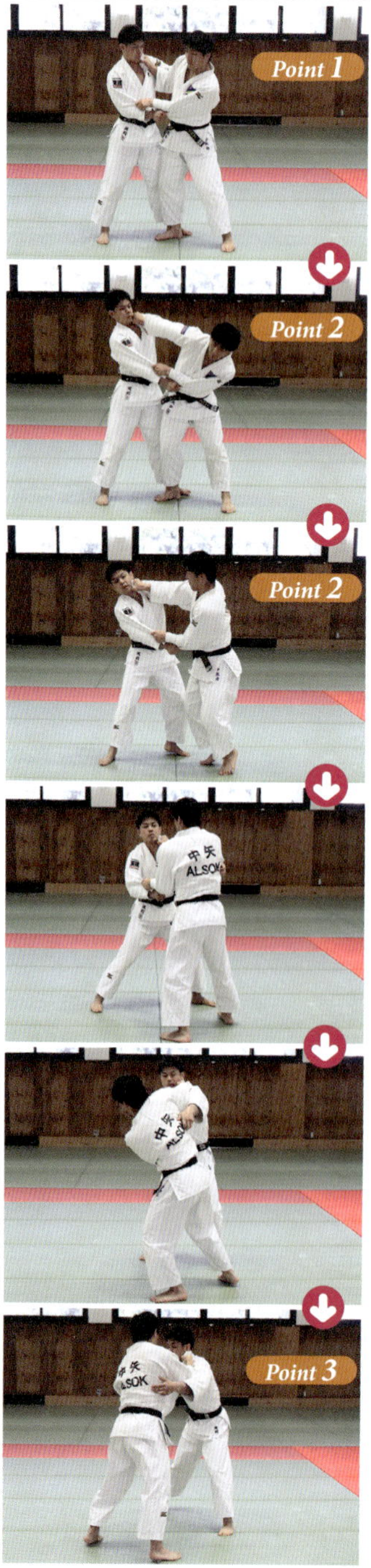

No.19 区画D～F（ケンカ四つ・対さし組手）

背中を引き離し、釣手で相手を押して遠ざけてからボックスを再構築する

ケンカ四つには「さし組手」と呼ばれる組手がある。釣手を相手の背中に回して掴む組手、といえばイメージしやすいだろう。相手が奇襲攻撃を行う場合や、腕の長い外国選手などがよく使う技術だ。背中を取ることで間合いが近くなるため、このまま試合を進めるのは非常に危険になってくる。さし組手になった場合は、引手を固定して釣手で相手の体を押し戻し、相手の釣手を引き剥がすことが重要になる。相手を遠ざけてから釣手を戻して再び体勢を作り直せば、危険な状態から脱せられる。

真横になるのを避け背を引き離す

Point 1

さし組手の状態になってしまった場合は、引手を引いて、釣手は外手首・外肘を使って相手の顎を突きながら腰を切り、背中全般を使って相手の釣手を引き剥がそう。その後、相手に向き直り、釣手を縦手首・縦肘に戻して自分の体勢を整えるといい。

外手首・外肘で相手を押し体を遠ざける

Point 2

ポイント1で釣手を外手首・外肘にしたら、そのまま腕を伸ばして相手の体を遠ざけよう。これで相手との距離ができると同時に、ボックスを形成することができるようになる。また、引手は引き付けたままなので、相手のバランスを崩すことにもつながる。

釣手を縦手首・縦肘に戻し、不利な状態から脱する

Point 3

相手を引き剥がしたら、相手が上半身のバランスを崩している間に、体を押していた釣手を外手首・外肘から縦手首・縦肘に戻してボックスを再構築する。これで不利だった状態から五分、あるいは場合によっては自分が有利な体勢に変えることができる。

ステップアップ

自分の腕の長さを知ろう

人間は当然ながら、個々によって体格差が存在し、腕の長さにも違いが見られる。No.18（P43）で述べたように、柔道において自分の力が相手に伝わるポイントは手（腕）のみである。

したがって、腕の長さの違いによって、戦い方は大きく変わってくるものだと理解しておく必要がある。

腕の長さは、短い場合も長い場合も、どちらもメリット、デメリットがあるので、その違いにともなう長所短所をよく把握しながら、対戦相手との戦い方を考えよう。

本人が語る
世界と戦う柔道家の投げ技 1

中矢力選手の背負投

2013年にリオデジャネイロで行われた世界選手権の初戦で、キルギス共和国の選手から一本を取ったときの背負投です。相四つので自分よりも大きい選手でしたが、その分、懐が深かったため、思い切り入れば投げられると思っていました。背負投に入った瞬間は少し踏ん張られたのですが、うまく最後まで持っていくことができたと思っています。

この背負投のポイントは、練習の投げ込みでかけるときよりも、相手に入り込んでかけることです。つまり、練習よりも深く入るわけですが、実際の試合では、練習のときのように相手を引き出して崩すのが難しい状況になります。相手を引き出せない分、自分から入り込んで、その分を補っているのです。

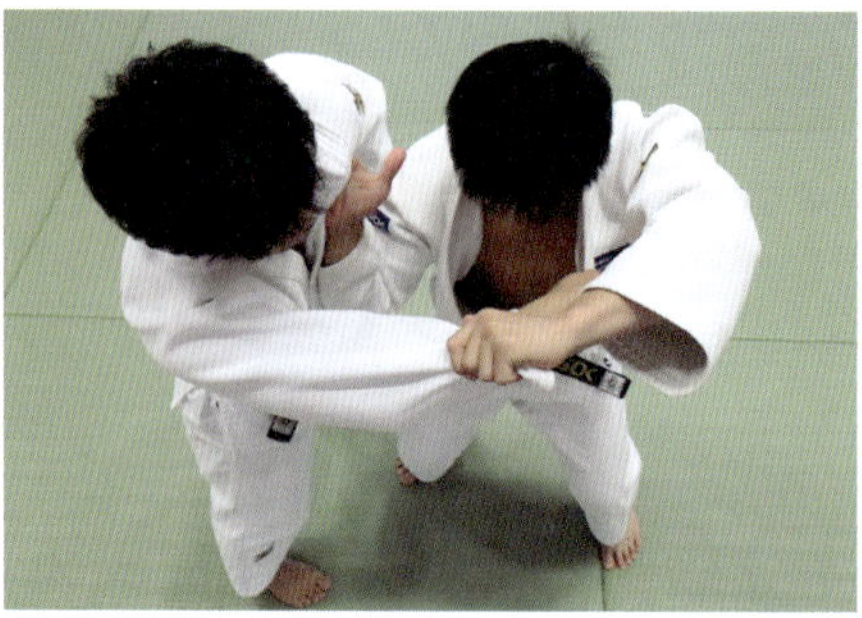

相手を引き出しきれない分を、
深く踏み込んで補っている

第二章

しっかり組んで投げる

柔道の基本は、相手としっかり組み合い、崩して技をかけ投げることにある。相手のタイプに応じてビッグ6の投げ技を使い分け、豪快に投げるコツを覚えて一本を取ろう。

背負投の流れ

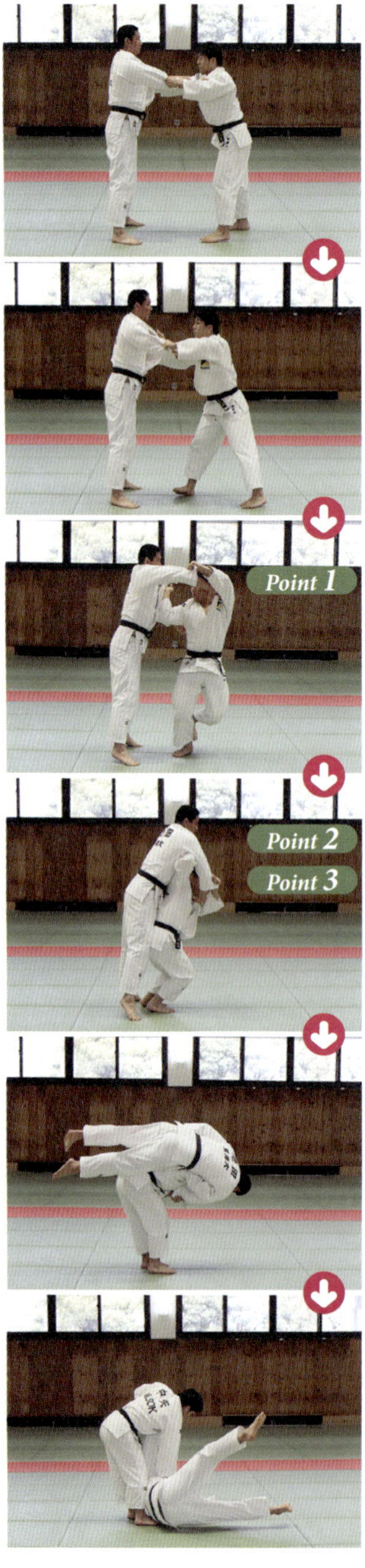

No.20 区画A～B(相四つ・対高身長～同身長)

腕時計を見るように引手を引き、最適な釣手の形で相手と同じ方向を向くように回転する

自分と同じくらいの身長、あるいは自分よりも背の高い相手と試合をする際は、背負投は相手の懐に潜り込みやすいため、効果的な技のひとつとなる。特に、背の高い選手は、目線が合わない技を苦手とする傾向があるため、体勢が低くなる背負投は、より効果的と言える。背負投で大切なポイントは大きく分けると3つある。ひとつは引手の引き方。ふたつ目は釣手の肘の使い方。みっつ目は身体の回転のさせ方となる。これらをしっかり覚え、得意技のひとつにしておこう。

腕時計を見るイメージで引手を上げる

Point 1

自分と同じくらいの身長、あるいは背の高い相手に対して、背負投は有効な技のひとつだ。

自分の身体を回転させる際は、引手は手首を返して腕時計を見るようなイメージで、目よりもやや高い位置で引き上げることが重要となるので覚えておこう。

対高身長の相手に対しては自分に適した釣手の形を見つける

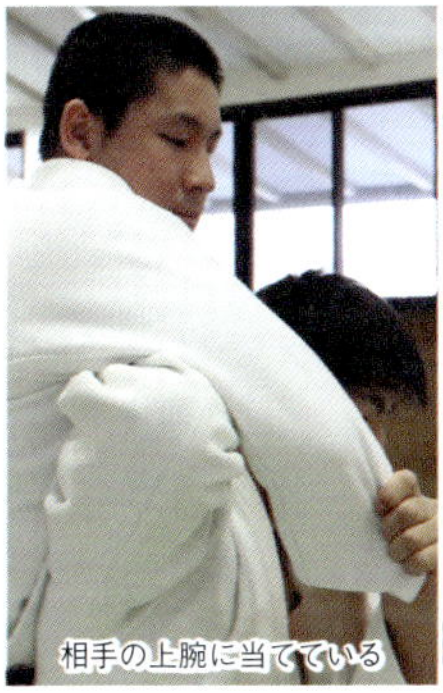

相手の上腕に当てている

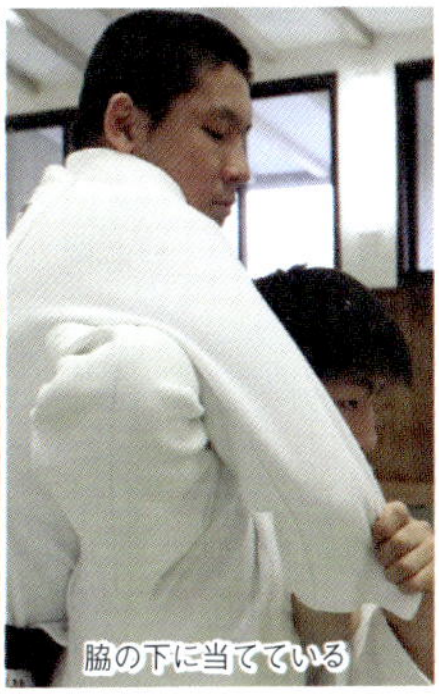

脇の下に当てている

Point 2

引手を上げて身体を回転させる際、相手の脇の下に釣手の肘を潜り込ませるが、肘を相手の脇の下に当てる形と、肘を相手の腕に当てる形の2種類が存在する。これは、どちらでも間違いではないので、自分がしっくりくる方の形を見つけておくことが重要だ。

180度回転する足の運びを身体に覚え込ませる

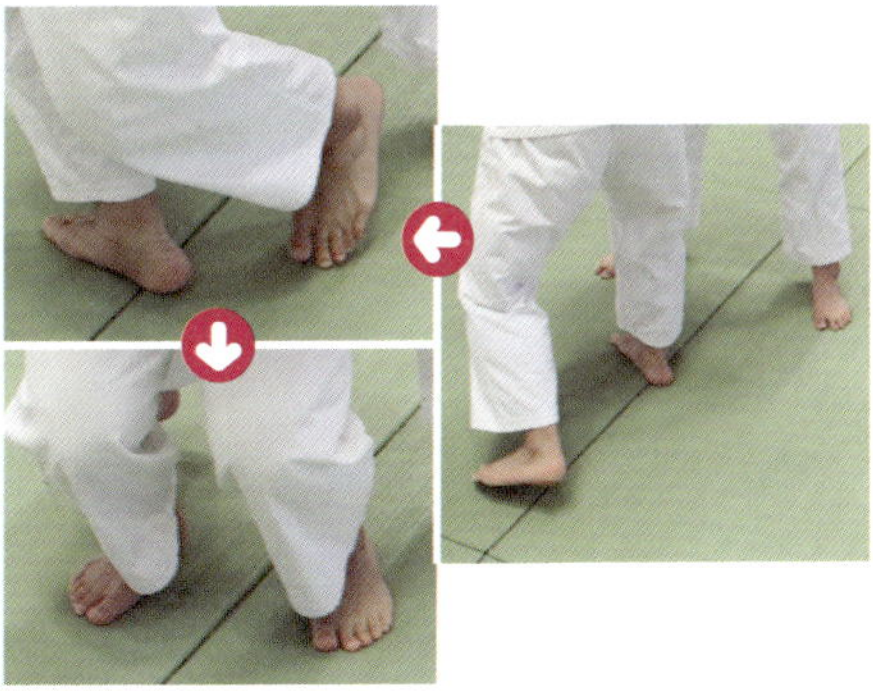

Point 3

背負投では、刈足を相手の両足の中間に移動させ、その足を軸にして軸足を引き付けて回転するが、しっかりと180度、つまり相手の身体と同じ方向に向くよう回転することが重要だ。自分の両足の位置と向きを揃えることも重要なので、動きを身体に覚え込ませよう。

ステップアップ

肘の位置は柔軟に

ポイント2で解説したように、背負投では、自分の腕の長さによって、肘を当てる位置は相手の脇から上腕にかけて変わってくるのは当然といえる。

これは自分の腕の長さだけではなく、対戦相手の体型などによっても変わってくるので、あまり固定観念にとらわれた入り方にならないよう注意しよう。

『教えられた通りに』『こうでなければならない』という考え方ではなく、より柔軟に対応することで、それまでよりも技に入りやすくなることもある。

肘抜き背負投の流れ

No.21 区画Ｄ～Ｅ（ケンカ四つ･対高身長～同身長）

ケンカ四つで相手を背負うなら、肘を抜いて回転スペースを作り相手と密着して担ぎ上げる

ケンカ四つの状態から背負投で投げようとすると、相手の釣手が回転の邪魔をして、釣手が上手く相手の脇の下に入らないことがある。この場合、釣手を無理に脇の下に入れようとするのではなく、肘を抜いてしまう方法もある。ここで注意しなければいけないのは、抜いた肘が伸びてしまうことだ。これでは体が回転できなくなってしまうので、しっかりと脇を絞り、釣手が伸び切らないよう注意しておこう。その上で、自分の背中と相手の腹を密着させて担ぎ上げれば、背負投で投げることができる。

釣手の肘を抜いて回転するスペースを作る

Point 1

ケンカ四つの場合は、相手の釣手が回転の邪魔をして、釣手が上手く相手の脇の下に入らない場合が考えられる。そのときには、釣手を無理に相手の脇の下に入れようとするのではなく、写真のように肘を外に抜きながら身体が回転するスペースを作る方法もある。

肘が伸びると回転できなくなる

Point 2

ポイント1で肘を抜いた際、写真のように肘が伸びてしまうと、相手の圧力がかかりすぎて、上手く回転できなくなってしまう。相手を引き出し、しっかり回転して投げるためにも、肘が伸びてしまわないよう、釣手の肘と脇を絞っておくことを意識しておこう。

相手を引き出して密着させ担ぎ上げて投げる

Point 3

ポイント1と2で、肘を抜いて回転したら、相手を前に引き出して、自分の背中と相手の腹を密着させよう。密着させたまま自分の腰から背中にかけて相手を乗せてしまえば、相手を担ぎ上げやすくなるので、そのまま前方に投げればいい。

ステップアップ

引き出し型とはめ込み型

背負投は、大きく分類すると『引き出し型』と『はめ込み型』の2種類に分類される。『引き出し型』は、相手を担ぐ前に、相手を大きく前に引き出すので、腰の回転を速くすることで、より少ない負担で、より効率的に相手を担ぐことができる。一方、『はめ込み型』は、肘を抜く背負投に見られるように、相手を大きく引き出すことはできないが、自分の体幹の強さを利用して担ぐことができる。体幹の強さに自信のある選手は、『はめ込み型』の背負投も有効なので覚えておこう。

一本背負投の流れ

一本背負投(釣手下)

No.22 区画D～E(ケンカ四つ・対高身長～同身長)

相手の反発を利用し、引手で相手の上腕をロックして投げる

ケンカ四つの相手で、自分と同じくらいの身長、あるいは自分よりも背の高い相手と試合をする際、背負投は引手を取るのが難しいので技に入るのは困難だが、一本背負投は効果的だ。釣手を持ったら、まずは縦手首・縦肘で釣手の軸を作っておき、外手首に変えて相手の脇を開き腕を上げさせて、自分が回転できるスペースを作ろう。スペースができたら、タイミングよく軸足を踏み込み、回転しながら相手を担ぎ上げよう。大きな相手の場合は、釣手を自分の肩より高い位置にしておこう。

釣手は自分の肩よりも高い位置を掴んでおく

Point 1

ケンカ四つでは、自分の釣手の位置が低いと、相手に腕で圧力をかけられてしまい、回転するスペースを作ることができない。そこで、釣手は必ず自分の肩よりも高い位置を持つよう心掛けておこう。一本背負投に限らず、他の技をかける場合でも同じだ。

釣手を外手首・外肘に変え回転するスペースを作る

Point 2

釣手を縦手首・縦肘を使って相手と間合いを作ったら、回転する瞬間に外手首・外肘に変えて釣手を引き上げよう。写真のように相手との間にスペースが生まれ、そこで身体を回転させることができるようになる。このスペースに、タイミングよく軸足を踏み出そう。

両足が相手の両足と平行になるよう回転する

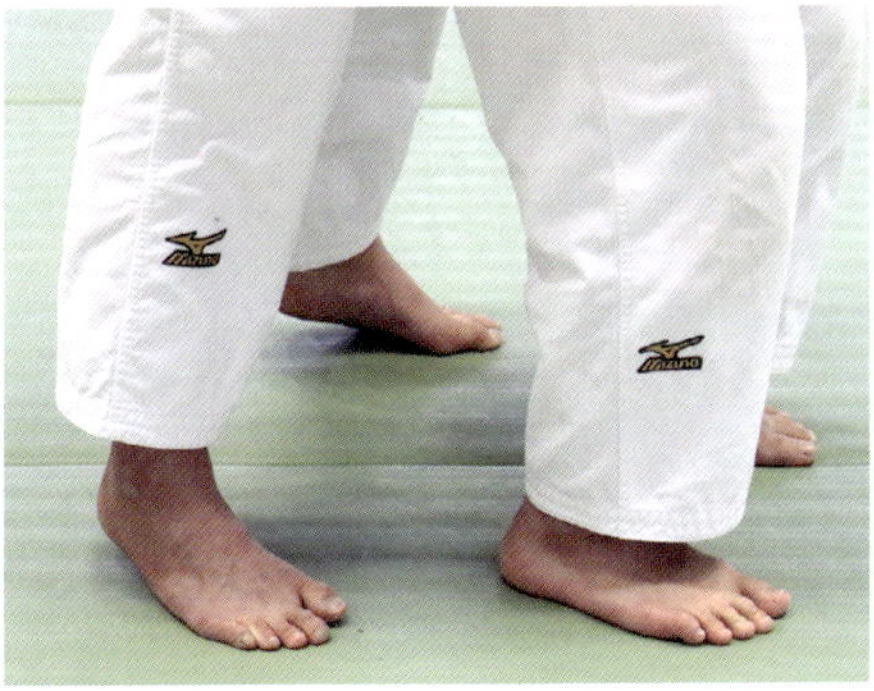

Point 3

ポイント2でスペースを使って軸足を支点にして身体を回転させる際は、写真のように両足が相手の両足と平行になるよう回転することが重要だ。回転が足りない、あるいは回転しすぎるなどして、相手と平行にならないと、技の威力が低下し、逃げられやすくなる。

ステップアップ

釣手の位置が低いと回転できなくなる

特に身長の高い相手に一本背負投をかける場合、自分の釣手の位置が低いと、相手に圧力をかけられることが多くなる。こうなってしまうと、写真のように相手の脇を開いて腕を持ち上げることができなくなるので、スペースが作れず、結果的に回転できなくなるので、注意しておこう。

体落の流れ

No.23 区画Ｄ～Ｅ（ケンカ四つ・対高身長～同身長）

釣手の位置を上げ、引手を引いてひし形ボックスを作り、身体の回転の力を利用して投げる

一本背負投同様、ケンカ四つで相手が自分と同身長あるいは高い場合には、体落も効果的な技と言える。自分が釣手を下から持っている場合は、同じ身長、高い相手どちらが相手であっても、釣手の位置を高くしておくことが理想的だ。釣手を高い位置に上げたら、腕時計を見るようなイメージで、引手を自分の目よりもやや高い位置に引き上げて身体を回転させる。刈足を相手の軸足の前に出して、そこを支点に身体を横回転させる力を利用すれば、理想的な体落がかけられる。

縦肘と外肘を交互に使い釣手の位置を上げる

Point 1

自分が釣手を下から持っている場合、釣手の位置が低いと体落をかけることができない。そこで、高い位置に上げるため、縦肘と外肘を使って相手の脇を開けさせながら、徐々に修正していこう。高い位置に上げたら、縦手首にして体落をかける体勢を整えておく。

引手を持ち上げてひし形ボックスを作る

Point 2

ケンカ四つで組み合うと、相手との間に正方形のボックスを形成することになる。この状態から腕時計を見るようなイメージで引手を横にし、自分の目よりもやや高い位置に持ち上げて、身体を回転させるスペースを作り出そう。正方形だったボックスはひし形に変わる。

ひし形ボックスから身体の回転の力を利用して投げる

Point 3

ひし形を作り、回転するスペースを確保したら、釣手は縦手首・縦肘で固定したまま、引手を引いて身体を回転させる。同時に刈足を相手の軸足の前に出し、それを支点にして引手を肘の方に回転させる。そして、横回転の力を利用して相手を投げよう。

ステップアップ

縦回転と横回転の違い

ポイント3で解説したように、体落において、釣手の縦手首・縦肘を使い、相手を釣ることで投げることができる。この場合は横の捻りが加わるため、横回転の力を利用した投げ方になる。

その他に、背負投のように釣手の肘をたたんで背負落に変化することも可能だ。この場合は、背負投同様、縦回転の力を利用した投げ方になる。

この違い、特長をよく知り理解しておけば、技をかける際にも、使い分けをすることが可能になる。

払腰の流れ

No.24 区画Ｂ～Ｃ（相四つ・対低身長～同身長）

払腰は刈足の踏み込み過ぎに注意し、軸足を最短距離で移動させ刈足を高く上げ過ぎない

相四つで相手が自分と同身長、あるいは自分よりも小さいなら、払腰は効果的な技のひとつとなる。払腰をかける場合は、刈足の踏み出す位置に注意しておこう。踏み出し過ぎて相手に近づいてしまうと、回転と引き出すスペースを自ら消してしまうことになる。

刈足を着地させたら、その足に近づけるよう最短距離で軸足を移動させ、自分の重心がずれないよう注意しよう。そして腕時計を見るようなイメージで引手を引き、刈足で相手の足を払いながら投げよう。

刈足は踏み出し過ぎず軸足の手前に置く

Point 1

払腰をかける際は、刈足を踏み出し過ぎないように注意しておこう。踏み出し過ぎてしまうと、相手との間合いが詰まってしまい、回転するスペースを自ら消すことになる。軸足の手前に置き、回転するスペースと相手を引き出すスペースを作ることが重要だ。

軸足は最短距離で移動させる

Point 2

ポイント*1*で刈足を踏み出し、刈足を支点に軸足を回転させるときは、軸足が刈足の近くを通過し、最短距離を移動するよう心がけておくことが重要になる。これを意識し実行することで、払腰をかける際、自分の重心がずれるのを防ぐことができる。

腕時計を見るように引手を引き上げる

Point 3

払腰に限ったことではないが、相手を引き出すときは、引手を腕時計を見るようなイメージで引き上げよう。この動作で、相手を前方に投げることができるようになる。なお、刈足は、高く上げる必要はなく、上げ過ぎに注意しておくことが重要だ。

ステップアップ

身長の低い相手には外手首が効果的なことも

払腰は通常、釣手の手首を縦にして、縦手首・縦肘でかけることが多い。しかし、相手が自分よりも小さいのであれば、手首を外にして後ろ襟を掴むのも効果的だ。後ろ襟を掴み引き付けることで、相手との距離が縮まり、つまりボックスが潰れるため、胸を合わせやすくなり、力勝負に持ち込みやすくなる。

払腰の流れ

No.25 区画Ｆ（ケンカ四つ・対低身長）

縦手首・縦肘でボックスを固定し、軸足を最短距離で移動させて横回転で投げる

ケンカ四つであっても、相手が自分よりも小さいのであれば、払腰は一本を取れる技のひとつとなる。特に釣手が上から払腰をかける場合は、正方形のボックスを維持しスペースを作ったまま投げることができる。このとき、上から持って釣手を相手の内側にねじ込み固定することが大切なポイントになる。

技に入る踏み込みは最短で素早く移動させることを心がけ、足を払う際は上半身の固定を維持したまま、身体を横に回転させる力を利用して、相手を投げよう。

組んだ時、釣手を中入れ肘にする

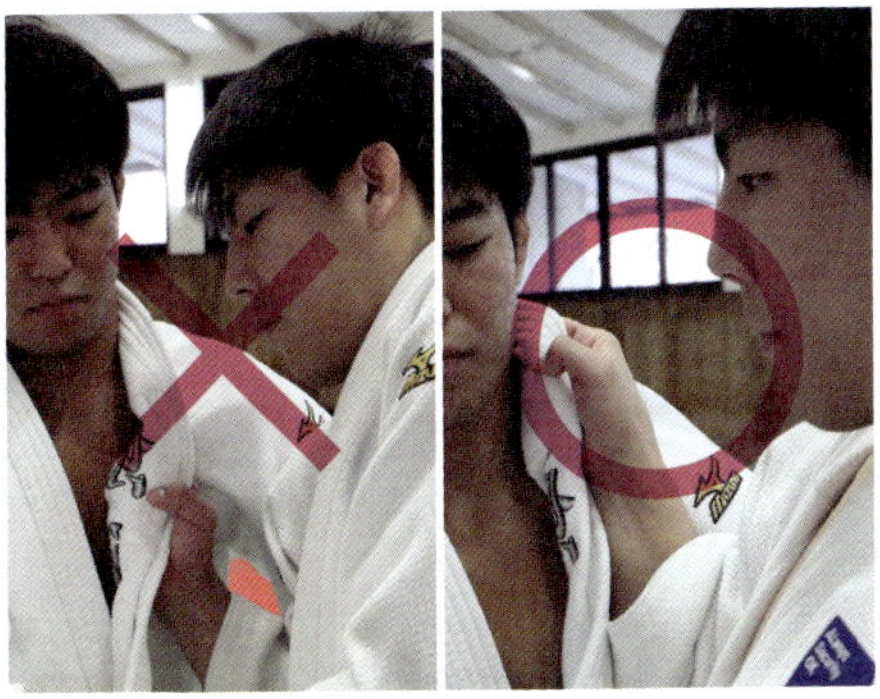

Point 1

対低身長では、釣手は自分が上から持つことが多いので、内手首・内肘を使って右の写真のように肘を中にねじ込んでおこう。このとき、手首の位置が低くなると自分自身が回転できなくなってしまうので、釣手手首は自分の肩よりも高い位置でキープしておく。

軸足は最短距離で移動させそのまま払腰をかける

Point 2

ポイント*1*の状態で釣手を固定させながら、刈足の踏み込みは大きくせず、軸足を最短距離で素早く移動させるよう意識しておこう。刈足の着地から軸足の着地までを「継ぎ足」と呼び、この「継ぎ足」が速ければ速いほど、技の威力が増す。刈足は相手の膝下を払おう。

ボックスを維持したまま横回転で相手を投げる

Point 3

刈足で相手の膝下を払いながら、上半身は固定を維持し、横に回転する力を利用して相手を投げよう。ボックスが崩れてしまうと、回転の力がばらついてしまう。そうなってしまうと、自分のバランスを崩す恐れがあるので、姿勢には十分注意しておこう。

ステップアップ

足車も効果的な技となる

足車に変化しても有効

ケンカ四つで、相手の背が低い場合は、上半身を固定させ、軸足は回転させずに、そのまま刈足を引っかけ、足車に変化することもできる。その場合も、ポイント*1*で解説した釣手の中入れ肘が重要になる。

内股の流れ

内股(釣手上)

No.26 区画E～F(ケンカ四つ・対低身長～同身長)

外出し肘で釣手を持ち、顎で相手の釣手を固定しながら回転して跳ね上げる

ケンカ四つの相手に対して内股をかけるときは、釣手は中入れ肘よりも外出し肘の方が技に入りやすい。

ただし、外出し肘にした場合は、顎を相手の釣手のライン上に乗せて固定しておく必要がある。その上で正方形ボックスを形成し、内股に入ろう。刈足を踏み込む際は、踏み込み過ぎると、相手に近くなり回転するスペースがなくなるので注意が必要だ。軸足を最短距離で移動させ、軸足が着地した瞬間に刈足で相手を跳ね上げれば、内股で投げることができる。

Point 1

釣手は外出し肘で顎で相手の釣手を固定する

ケンカ四つの相手に対し、釣手を上から持った場合で内股をかける際は、肘は中に入れている中入れ肘よりも、外に出している外出し肘の方が有効だ。釣手を外出し肘で持った場合は、顎で相手の釣手を固定して可動域を狭めておきながら、正方形ボックスを形成しよう。

Point 2

技を出すギリギリまで顎を乗せて釣手を固定しておく

ポイント1では、外出し肘が有効であると解説したが、顎の圧力を緩めてしまうと、相手の釣手が自由に動きやすくなってしまう。そこで、技を出すギリギリのタイミングまで顎を乗せておこう。引手で相手を引き出した際も、まだ顎が乗っているくらいが望ましい。

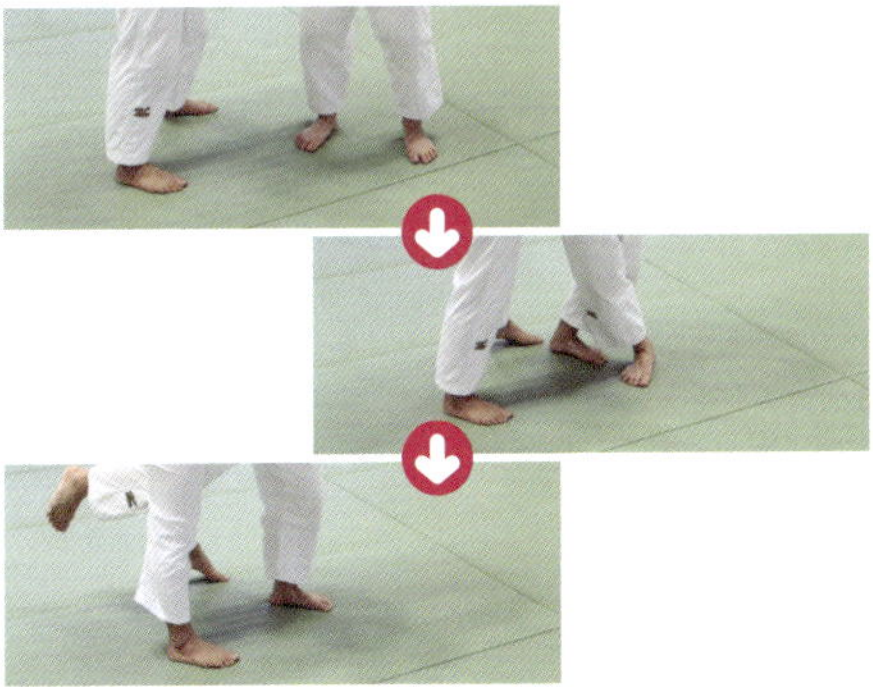

Point 3

刈足は踏み出し過ぎず軸足を最短距離で移動させ跳ねる

刈足は軸足の前に踏み出すが、このとき、あまり相手の方に踏み出し過ぎないよう注意しておこう。相手に近すぎると、身体を回転させるスペースがなくなってしまうからだ。軸足は最短距離で刈足の横を通過させ、軸足が着地した瞬間に刈足を跳ね上げる。

ステップアップ

スイング式の内股もある

内股には様々な入り方がある。左の写真のようなスイング式の内股は、より相手を引き出しながら投げることができるので、効果的であると覚えておこう。

内股の流れ

内股(釣手下)

No.27 区画Ｅ(ケンカ四つ・対同身長)

ケンカ四つの相手には、縦手首・縦肘を使い相手を引き出したら、太ももの裏側を相手の中心部分に当てて跳ね上げる

ケンカ四つの相手に対して、釣手を下から持ち内股をかけるときは、縦手首・縦肘を使い、引手は腕時計を見るようなイメージで相手を引き出そう。自分が回転するスペースを潰さないためにも、刈足は踏み込み過ぎず、軸足は相手の両足の中間に着地させることが重要だ。

この際、「継ぎ足」の速さを意識し、素早い回転を心がけよう。跳ね上げるイメージは、自分の太ももの裏側を、相手の中心部分、つまり股の間に当てるよう意識しておこう。

縦手首・縦肘を使い腕時計を見るように引き出す

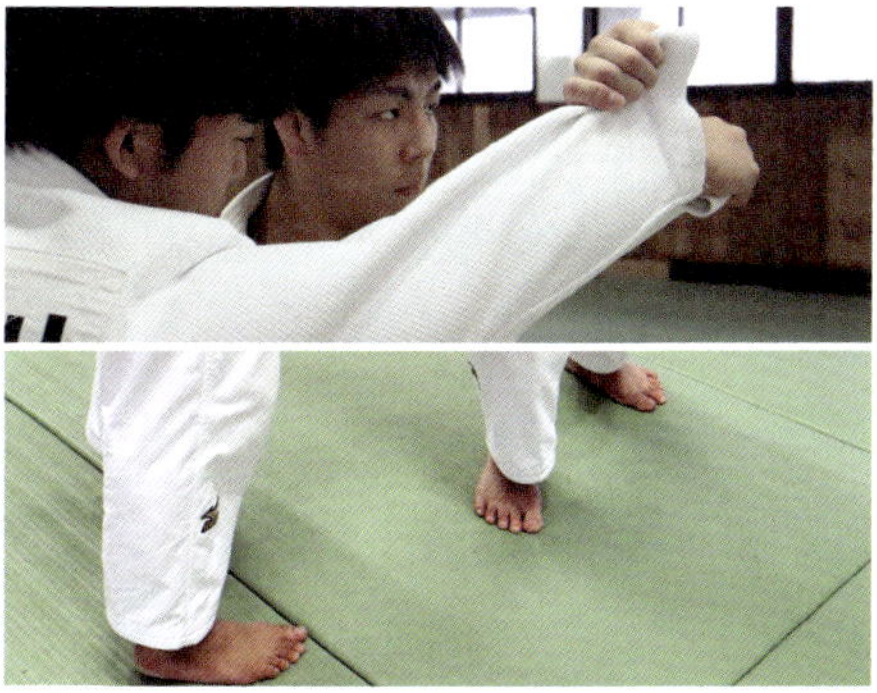

Point 1

ケンカ四つで釣手を下から持っている場合は、縦手首・縦肘にしておこう。そして刈足を踏み出すと同時に、引手は腕時計を見るようなイメージで引き出すことが重要になってくる。また、踏み出し過ぎると回転するスペースがなくなるので注意しておこう。

軸足を最短距離で移動させ相手の両足の中間に着地させる

Point 2

刈足を踏み込み過ぎないように着地させたら、軸足を最短距離で移動させよう。このとき、軸足は相手の両足の中間地点に着地させるよう意識しておこう。中間地点から外れてしまうと、刈足で跳ね上げる際のポイントがずれてしまうので注意しよう。

刈足の太ももの裏側を相手の中心に当てて跳ね上げる

Point 3

軸足が着地したと同時に、刈足で相手を跳ね上げよう。相手を跳ね上げるときは、刈足の太ももの裏側を、相手のももの内側ではなく、中心部分、つまり股の間に当てることを意識しておこう。そのためにも、ポイント2での軸足の着地点が重要になる。

ステップアップ

さまざまな内股 ケンケン内股

左の写真のようなケンケン内股は、大内刈から移行しながら内股へ変化させる。このときに、自分の上半身がバランスを崩さないよう、両脇を絞めながら大内刈をしかけることを心がけておこう。

大外刈の流れ

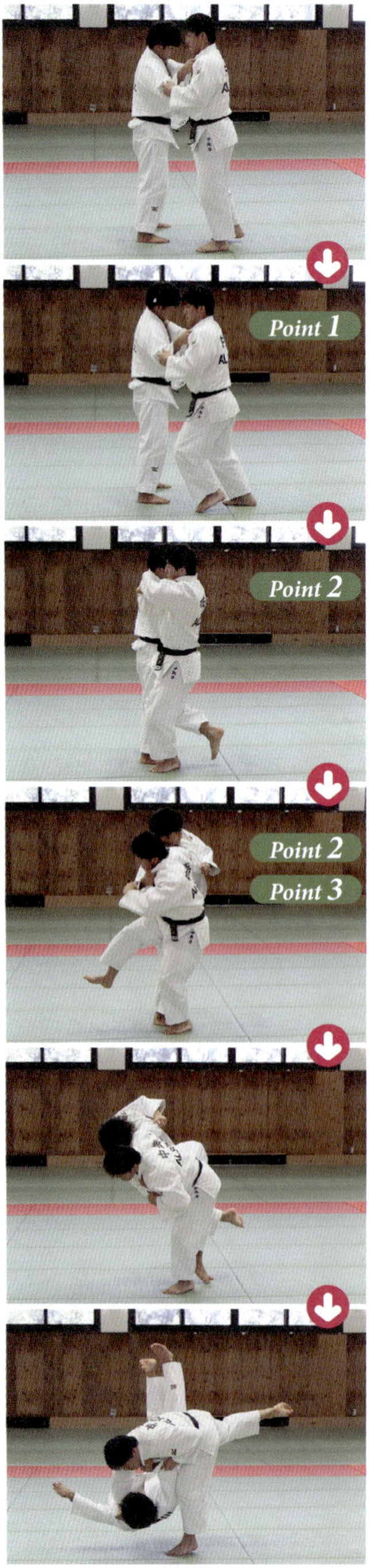

No.28 区画Ｂ～Ｃ(相四つ・対低身長～同身長)

外手首で相手を引き寄せ、軸足に重心を残して必要以上に高く上げずに刈足で刈る

相四つの相手で、自分と同じくらいの身長、あるいは自分よりも小さい相手の場合は、大外刈が有効な技だ。大外刈には、縦手首の釣手で技をかける基本的な入り方の他に、後ろ襟を掴み外手首の釣手で技をかける場合もある。

特に小さい相手の場合、後ろ襟を掴んでかける外手首での大外刈が有効とされている。外手首での大外刈の最大のポイントは後ろ襟を掴んで、相手との距離を近づけること。相手を引き寄せ胸を合わせることで、大外刈がかけやすくなるのだ。

釣手は外手首を使い相手を引き寄せる

Point 1

相四つで相手が小さい場合、間合いを潰し一直線になるよう引き寄せたいので、釣手は外手首を使い、できるだけ後ろ襟を掴もう。後ろ襟を掴んだ段階で、すでにボックスは狭くなるが、軸足を踏み出す前に相手を引き寄せれば、より胸を合わせやすくなる。

軸足に重心を残して、上体が浮かないようにする

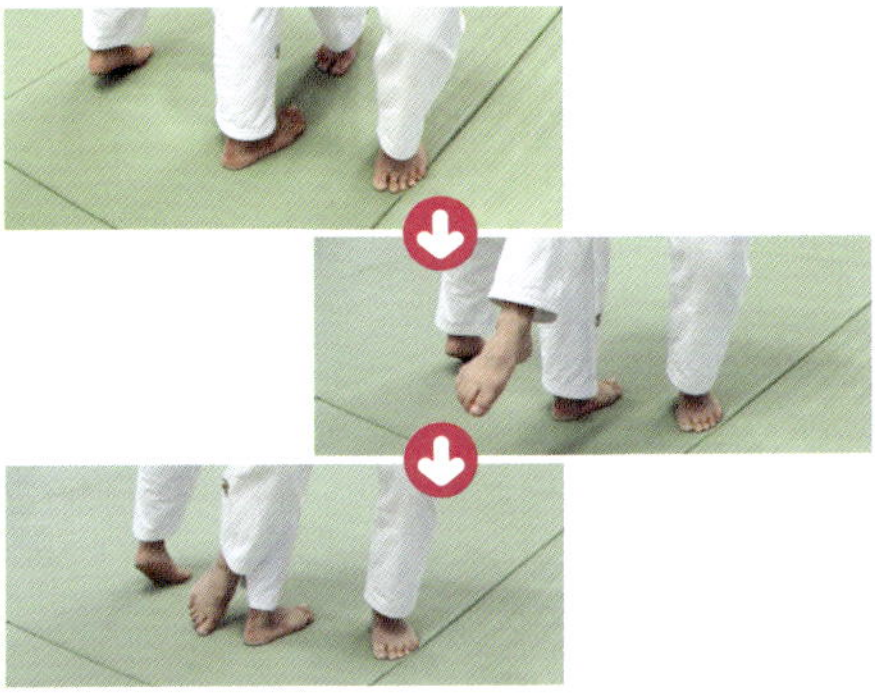

Point 2

相手を引き寄せて胸を合わせたら、軸足は前に出過ぎないよう注意しながら踏み込む。また、刈足はあまり高く上げる必要はない。それよりも、軸足に重心を残すよう注意しておこう。軸足に重心を残しておかないと、刈る際に自分の上体が浮き上がってしまうのだ。

刈足を必要以上に高く上げない

Point 3

相手の足を刈る際、刈足を上げ過ぎると、重心が後ろに傾いてしまい、バランスを崩すことになる。バランスが崩れれば相手に返されやすい状態を作ることになるので、非常に危険だ。そこで、刈足は必要以上に高く上げるのを避け、小さく力強く刈ることを意識しよう。

ステップアップ

区画Cは力勝負に持ち込め

区画C、つまり相四つで背の低い相手の場合は、左の写真のようにできるだけ胸を合わせるような形で、相手を引き付けるよう心がけておこう。相手にスペースを与えないことで、相手の技を防ぐだけでなく、こちらの技に反応する時間を遅くさせることができる。

大外刈の流れ

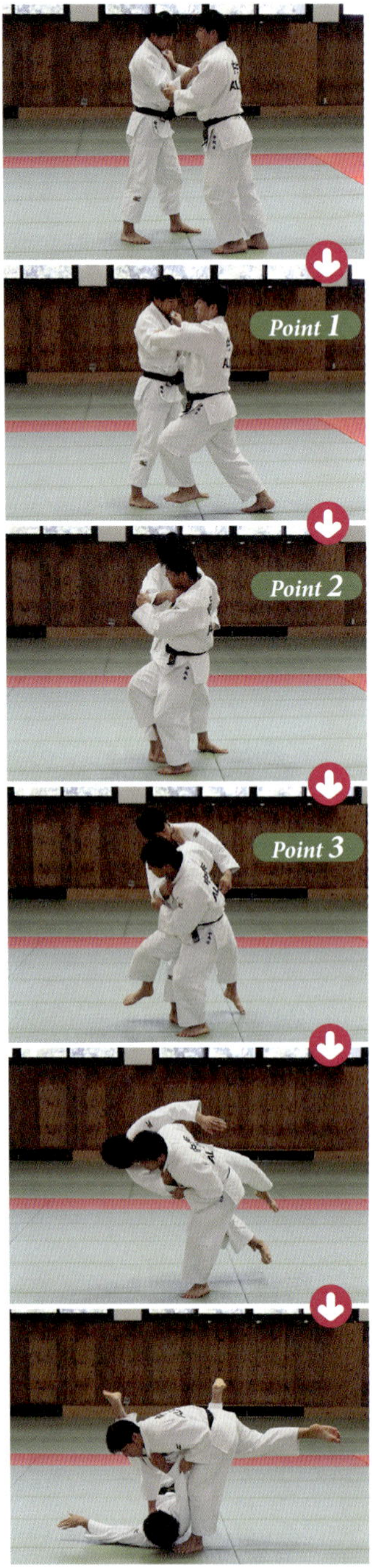

大外刈（縦手首）

No.29 区画 B（相四つ・対同身長）

縦手首で相手を吊り上げ、軸足を踏み出しすぎず必要以上に高く上げずに刈足で刈る

ここでは「縦手首」を使った大外刈を解説する。縦手首の大外刈の場合は、自分よりも小さい選手というよりは、同じくらいの相手に効果を発揮する。大外刈で縦手首を使う最大の理由は、釣手で相手を吊り上げ、相手の上体を崩すことである。組んだときの正方形のボックスを壊し、相手に接近する際、この縦手首を使った上体の崩しが必要になる。相手の上体を崩したら、軸足の踏み出し過ぎに注意し、また刈足を必要以上に上げず、相手の膝裏、またはふくらはぎを後方に刈り倒そう。

釣手は縦手首を使い吊り上げながら接近する

Point 1

相四つで正方形のボックスで組み合った状態から大外刈をかけるには、ボックスを壊して相手に接近する必要がある。

そこで、相手に接近するときは、写真のように釣手の手首を縦にして固定すると同時に、相手を吊り上げて崩すよう心がけておこう。

軸足を踏み出しすぎないよう注意しておく

Point 2

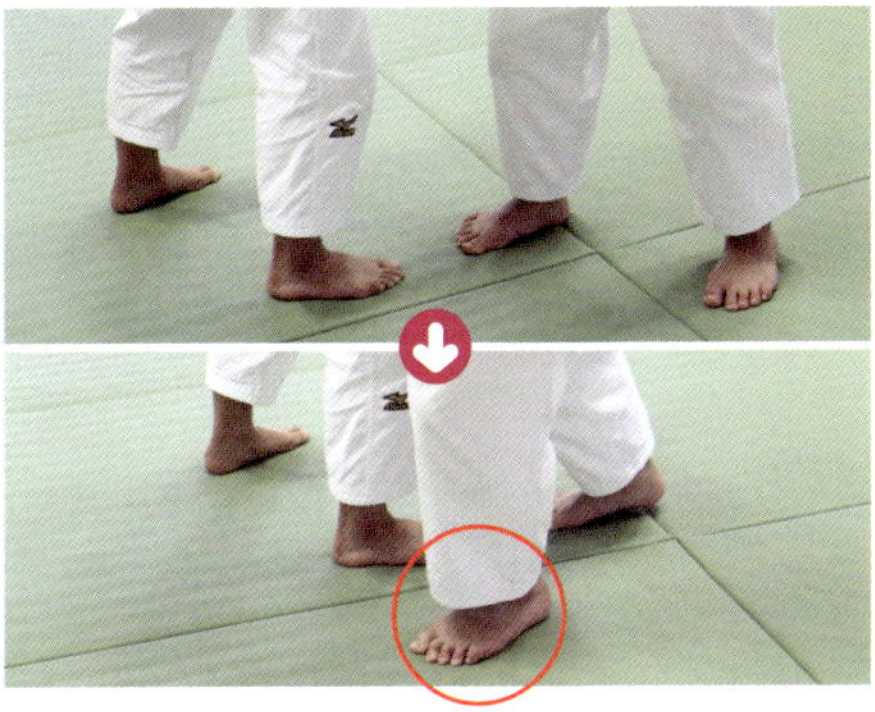

大外刈をかける際は、軸足を相手の刈足の横に踏み出すが、このとき踏み込み過ぎると自分の重心が後ろに傾くため、返されやすくなる。

そこで、自分がバランスを崩さない程度の位置を知り、そこに踏み込むよう意識しておくことが重要だ。

刈足は必要以上に高く上げない

Point 3

大外刈では、勢いよく相手の足を刈ろうとするあまり、刈足を高く上げてしまいがちだが、上げ過ぎるとバランスを崩してしまい、相手に返される危険性が高くなる。重心がブレない適度な位置まで上げ、膝裏で相手の足をロックするイメージで後方に刈り倒そう。

ステップアップ

刈足を着地させて再度踏み込む大外刈

大外刈をしかけて、相手がそれを踏ん張った場合は、左の写真のように一旦刈足を着地させて、再度、大外刈をしかけるといい。一度刈足を着地させることで、ズレたポイントを修正し、ふたたび大外刈をかけることが可能となるからだ。

大内刈の流れ

No.30 区画Ａ～Ｂ（相四つ·対高身長～同身長）

釣手と引手で正方形ボックスを固定し、軸足を一歩目として一気に間合いを詰め、重心を沈み込ませながら低い位置を刈る

相四つで自分と同じくらいの身長、あるいは自分よりも背の高い相手であれば、大内刈も有効な技のひとつだ。同身長、または背が高い相手のどちらの場合も、釣手と引手で正方形ボックスを固定することが多い。ここでは、そのボックスは緩めずに刈足ではなく軸足を一歩目として、一気に相手との間合いを詰めてしまおう。相手の足を刈る時は、低い位置を刈るよう意識し、自分が伸び上がらないよう、重心を沈み込ませることも重要なポイントなので覚えておこう。

正方形ボックスを維持し軸足を一歩目として技に入る

Point 1

大内刈をかける際、釣手と引手の両方で正方形ボックスを維持しておくよう意識する。そして、基本的な刈足を一歩目として大内刈をかけようとするのではなく、軸足を一歩目にして、一気に相手との間合いを詰めることを意識しておくことが、ここでは重要なポイントだ。

固定した正方形ボックスは緩めずに相手に密着する

Point 2

ポイント*1*で固定した正方形ボックスは、できる限り緩めることなく相手に密着しよう。このときボックスを緩めてしまうと、自分自身の重心のバランスが保てなくなってしまう。そうなると、技がかけられないだけでなく、相手に返される危険性が一気に高くなる。

刈足で低い位置を刈り重心は沈み込ませておく

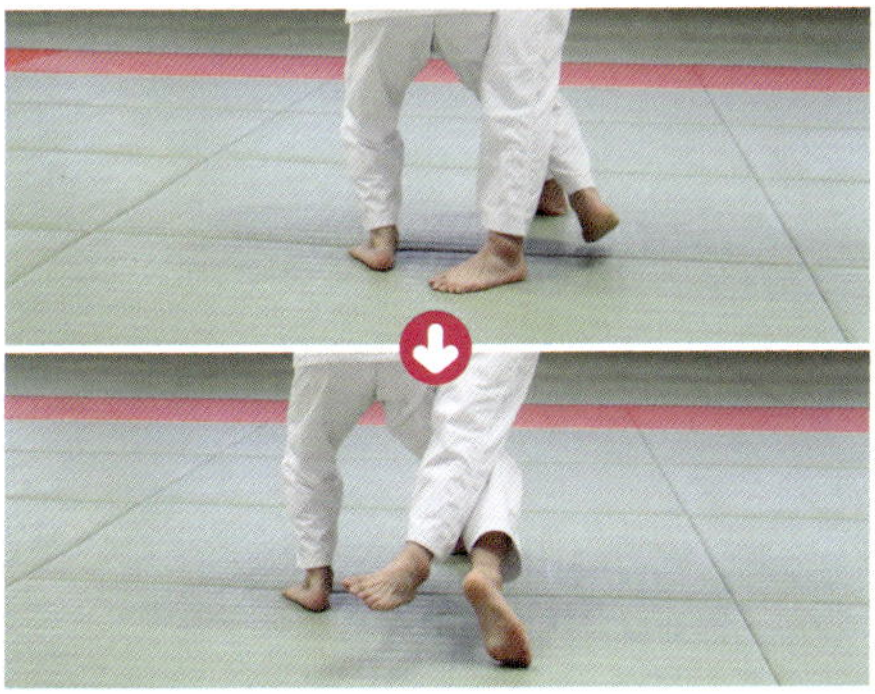

Point 3

ポイント*1*と*2*で、一気に相手に密着したら、刈足で相手の足を刈って倒そう。このとき、刈足は低い位置を刈るために、自分の重心が伸び上がらないよう、重心を沈み込ませることを意識しておこう。重心が低ければ、相手の返し技にも対応することができる。

ステップアップ

刈足スタートか軸足スタートか

技をしかけるとき、刈足から踏み出すケースと、軸足から踏み出すケースの2種類があるのはご存知だろうか。これはもちろん、どちらが正しい、正しくないということではない。相手の受けの反応を見て、どちらがより効果的なのか、見極めることが重要になってくるということを覚えておこう。

相手によって、またそのときの状況などによっても、その反応は違ってくるものなので、試合中、相手の反応をよく観察して、どちらが効果的なのか見極めておこう。

大内刈の流れ

No.31 区画Ｄ（ケンカ四つ・対高身長）

釣手と引手を固定し、刈足を相手の足にかけてケンケンで外くるぶし方向に押して倒す

ここではケンカ四つで、自分よりも背の高い相手に対する大内刈を解説する。まずは上半身を固定させる必要があるため、釣手は相手の鎖骨付近の高い位置の襟を持ち、引手は自分の方に引き付けて脇を絞めて固定させることを心がけよう。

この状態を維持したまま刈足を相手の内側にかけ、刈るというよりも足をかけたままケンケンで上半身を押していく、というイメージを心がけよう。踏ん張り切れなくなった相手を、押し倒していくことを目的とする技だ。

釣手と引手をしっかり固定する

Point 1

背の高い相手に対しては、釣手は必ず肩より高い位置、相手の鎖骨付近の襟を持つ。手首は縦手首・縦肘を使う。引手は外側から握って強く引き付け、脇を絞めて固定させてしまおう。この形ができていないと、相手のバランスを崩すことができなくなる。

釣手と引手で相手を崩し刈足を相手の足にかける

Point 2

ポイント*1*の形ができたら、その形を固定したまま、刈足を相手の内側にかけ、大内刈をかけよう。上体は相手を押しながら、ケンケンで押して前に進む。釣手と引手を固定したまま押し続けると、やがて相手は踏ん張り切れなくなり、押し倒すことができる。

ケンケンで押すときは外くるぶしの方向に進む

Point 3

ケンケンで相手を押す方向は、相手の軸足の外くるぶしの方向だ。相手を後方、つまりかかとの方向に押してしまうと、相手は踏ん張りやすくなるので、倒れにくい。対して外くるぶし側はケンケンしづらく踏ん張りも効かないので、より倒しやすい。

ステップアップ

ケンケンは横に弱い

ポイント*3*で解説したとおり、人間の身体は片足立ちで立った場合、つま先の方向（前後）には強いが、横（左右）には弱い。実感がない場合は、片足立ちになり、前後と左右に動いてみて、その違いを確かめてみよう。

ここで解説した大内刈など、ケンケンの技をかけるときは、相手のつま先がどちらに向いているのかを意識しておこう。相手を前後に移動させるようなケンケンの方向は避け、必ず横（外くるぶし）方向に移動させるよう技を仕掛けよう。

本人が語る

世界と戦う柔道家の投げ技　2

王子谷剛志選手の大外刈

2014年に行われた全日本選手権の決勝戦で、初優勝を決めたときの大外刈です。相手は相四つの上川選手でした。このときはお互い指導1つずつの状態で、残り時間が1分半くらいに差しかかったときでした。私が大内刈を先にかけたのですが、相手がそれに反応したので、その瞬間に身体が勝手に反応し、大外刈を打っていました。

私の大外刈は、他の人と比べて釣手の使い方に特徴があると思います。釣手で相手を近づけて、近づけたまま被せて投げるような感じです。この方法は中学生の頃から行っていて、稽古で数多くかけ、自分なりの形ができてきたものです。これが自分の技だと確信を持てたのは、高校3年生くらいになってからでしょうか。手ごたえがあったのを覚えています。

釣手で相手を近づけ、
そのまま釣手を被せて投げている

第三章

実際の試合では、ひとつの技を単発でかけて相手を投げるのは難しい。ビッグ6とスモール4を駆使し連絡させ、相手を前後左右、上下に揺さぶりをかけて崩し、一本を取ろう。

連絡技で投げる

No.32 基本事項

対の法則を理解する

一度左に振って、相手が戻ろうとする力を利用して右に投げる技をかける。または、後方に圧力をかけ、相手が戻ろうとする力を利用して前方に投げる技を出す。このように、柔道では右と左、前と後ろというのが対になっていて、これを対の法則と名付けた。この動きについて、前後または左右についてはは理解している選手が多いのではないだろうか。しかし、柔道にはもうひとつの対があるのをご存知だろうか。それは高低だ。たとえば目の高さが同じ状態から、瞬時に低くなって目線から消えると、相手は瞬間的についてこれなくなる。低い背負投などが、これに該当する技といえる。前後左右では、斜めを加えた八方にしか移動できないが、ここに高低が加わることで、立体的な空間にすることができ、空間が広がる分、技にも広がりを持たせることができるようになるのだ。

最も基本的な対 前と後、左と右

Point 1

右の刈足で支釣込足をかけようとする場合、相手を自分から見て左に振り、あるいは左側に圧力をかけ、戻ろうとする反動を利用して技をかける。前に投げる技なら、一度押し込み、戻ろうとする力を利用するのが基本だ。これらの動きは基本的に対になっている。

考えが及ばない 高と低の対

Point 2

前後と左右という2種類の対については、誰もが考えるところ。しかし、柔道ではもうひとつの対がある。それは高低だ。たとえば背の高い選手は、相手が自分の視線から消えることを嫌う。小さい選手が瞬時に体勢を低くして懐に入り込んだりする場合だ。

前後左右に高低が加わると 立体的になり技が広がる

Point 3

前後と左右というのは、あくまで水平移動の中での変化だ。これでは、斜めを加えた全八方の限られた範囲での変化にしかならない。ここに高低が加わることで、移動の範囲を立体的に考えられるようになるため、相手も予測しにくくなるだけでなく、技も広がる。

ステップアップ

野球なら緩急に加えて横の変化と縦の変化と同じ

ここで解説した対の法則は、野球のピッチャーにたとえると分かりやすい。柔道でいう前後の基本的な変化は、ピッチャーで言えば速度の変化。つまり緩急だ。ここにカーブやシュートなど、左右に動く変化球が加わる。次に、上下の変化、フォークや、現実的にはあり得ないが、浮き上がるボールがあったとしたら。バッターにしてみれば、打ちにくさが増していくことになり、逆にピッチャーからすれば、打ち取りやすくなるだろう。この発想を柔道の考え方にも反映させよう。

大外刈から支釣込足の流れ

大外刈から支釣込足

No.33 区画Ｂ～Ｃ（相四つ・対低身長～同身長）

相手の後ろ襟を取り、軸足を踏み込んで足を下げた瞬間に、釣手と引手をハンドルのように回して投げる

相四つで、相手が自分と同身長、あるいは低い場合、大外刈はひとつの有効な技だが、それを警戒するようであれば、支釣込足に連絡することができる。まずは相手に警戒させるため、大外刈をかけにいく動作を入れよう。軸足を相手の軸足の横に踏み出す動作を行った瞬間、相手が反応し足を引いた瞬間、踏み出した軸足を内側に向けて着地させ、釣手で相手を崩す。そして刈足を相手の膝下に当てて、釣手と引手でハンドルを回すようなイメージで相手を回しながら投げよう。

釣手は外手首・外肘で相手の後ろ襟を取る

Point 1

相手が大外刈を警戒する動きがあるなら、その動きを利用して支釣込足に変化する。まずは相四つで組むとき、釣手は相手の後ろ襟を外手首・外肘で持とう。相手との距離が近くなることで、大外刈への移行もスムーズに行えるだけでなく、相手により警戒心を与えられる。

軸足を踏み込み、警戒した相手が足を下げた瞬間に変化する

Point 2

まずは大外刈をかけるため、軸足を相手の軸足の横に踏み出す動作を行おう。相手が大外刈を警戒し軸足を下げたら、そのタイミングで踏み込んだ軸足を内側に向けて着地させ、支釣込足に切り替える。釣手を引いて相手の重心を崩しながら、刈足を相手の膝下に当てよう。

釣手と引手を使ってハンドルを回すように投げる

Point 3

ポイント2で刈足を相手の膝下に当てたら、大外刈と見せて支釣込足に変化するタイミングで、引手と釣手を使って大きなハンドルを回すようなイメージで、相手を捻るように回そう。この捻りが大きければ大きいほど、技の威力は増大する。

ステップアップ

ハンドル回転は大きく速く

ポイント3では、ハンドルを回すように相手を投げると解説したが、大外刈または払腰から支釣込足に変化する場合は、相手の反動を利用するので、できるだけハンドル回転を大きく速くすることを心がけておこう。

このハンドル回転が強烈であればあるほど、仮に技がかならなかったとしても、相手が潰れやすい。相手が潰れれば、そのまま寝技に移行しやすい、というメリットも生まれるため、一本が取れなかったとしても、継続して攻め続けることができる。

No.34 区画Ａ（相四つ・対高身長）

相四つで相手の前足が邪魔なら、小内刈で前足を払ってから大内刈でふくらはぎの低い位置を刈る

相四つの相手に対し、大内刈をかけようとすると、相手の刈足が前に出ているため、スペースがなく大内刈に入りにくい場合がある。そこで、相手の前足が邪魔なときは、小内刈で相手の前足を払って動かし、その瞬間を狙って大内刈に入るといい。小内刈で相手の前足を払ったら、刈足は大内刈に入りやすい位置に着地させよう。また、着地と同時に軸足を回転させる準備もしておくと、スムーズに大内刈に移行できる。大内刈をかける際は、相手のふくらはぎの低い位置を刈る意識を持っておこう。

小内刈から大内刈の流れ

小内刈の後の刈足を大内刈に入りやすい位置に置く

Point 1

まず小内刈で相手の刈足を払ったら、その後、自分の刈足は大内刈のかけやすい位置に置くよう心がけておこう。これができていないと、大内刈に連絡するのが難しくなる。また、小内刈をかけたあと、上半身が前のめりになりすぎないよう、注意しよう。

小内刈をかけたあと、軸足を回転させる準備をする

Point 2

小内刈をかけたあと、自分の刈足を着地させたら、瞬時に軸足を回転させる準備をしておく必要がある。このタイミングが遅れれば遅れるほど、大内刈への移行は難しくなってしまうからだ。間が伸びてしまったりタイミングを外すと、連絡技は効果を発揮しない。

大内刈は相手の軸足の低い位置を刈る

Point 3

大内刈で相手の軸足を刈るときは、ふくらはぎの低い位置を刈るよう意識しておこう。高い位置を刈ろうとすると、力が伝わりにくくなり、容易に刈ることができない。そればかりか、逆に相手の返し技を受けてしまう可能性が出てくるからだ。

ステップアップ

小内刈はコンビニ

皆さんの自宅の近くにも、コンビニエンスストアはあるだろう。このコンビニは、便利で使いやすく、あると助かるお店なのではないだろうか。

柔道の数ある技のうち、小内刈は比較的自分の重心バランスを崩すことなく、しかけやすい技と言える。そのため、様々な場面に応用しやすい、非常に使い勝手のいい技だ。そういう意味では、コンビニの存在と似ている。便利で使いやすく、いざというとき助けてくれる貴重な技となるはずなので、ぜひ覚えておきたいところだ。

背負投から小内刈の流れ

背負投から小内刈

No.35 区画A（相四つ・対高身長）

背負投を過剰に警戒しているなら、上半身で背負投のフェイントを入れ、重心を下げる動きを利用して下半身で小内刈をしかける

相四つの自分よりも大きい相手と対戦する際は、背負投が効果的だ。それを利用して、背負投をかけると見せかけて小内刈に変化すれば、非常に大きな効果を発揮する。この連絡技で大切なのは、相手に背負投を警戒させることにあると覚えておこう。

そのために、組んだとき自分の身体が回転しやすい正方形のボックスを確保しておこう。その上で背負投に入る動きを入れ、相手が重心を後ろに移動させた瞬間を逃さず小内刈に変化すれば、効率よく倒すことができる。

背負投を過剰に警戒するその動きを利用する

Point 1

背負投から小内刈への連絡技は、相手が過剰に背負投を警戒するような動きがあった場合、逆にその動きを利用するのが効果的だ。背負投を警戒すると、上半身では力が入り、下半身は重心が後ろに傾く傾向にあるからだ。この状態からの小内刈は非常に効果的だ。

顔で背負投に入るフェイントを入れる

Point 2

写真のように、顔の向きを背負投の方向に向けることで、相手は重心をより後ろに傾けるようになるので、その動きを利用しよう。もちろん、顔の向きだけではなく、上半身も顔と同様、背負投に入るフェイントを入れると、相手はさらに重心を後ろに傾けようとする。

下半身では相手の踵部分を小内刈で刈る

Point 3

ポイント2では、顔を含めた上半身で背負投の方向にフェイントを入れると解説したが、下半身では小内刈をしかけよう。足をかける場所は、高い位置ではなく、相手の踵の位置だ。この位置に自分の刈足の土踏まず部分を当てるよう意識し、相手の足を刈ればいい。

ステップアップ

正方形のボックスを作り回転するスペースを確保する

相四つで組み合ったとき、自分よりも大きい相手に引き付けられてしまうと、身体を回転させる正方形ボックスが確保できなくなる。そこで、まずは正方形のボックスを作り、回転するスペースを確保しておこう。

払腰から支釣込足の流れ

払腰から支釣込足

No.36 区画Ｃ（相四つ・対低身長）

払腰を警戒して重心を後ろに傾けるなら、その動きを利用して支釣込足に変化し、ハンドルを回すように相手を投げる

相四つの自分よりも小さい相手と対戦する際は、払腰は効果的な技となるが、相手が払腰を警戒して、軸足に重心を移動させるようなら、支釣込足に変化しよう。

払腰を警戒させるために、より身体を密着させて払腰をかければ、相手は後ろに重心を傾けて受けるはずだ。この状態を作り出し、一旦離れて再度刈足を踏み出せば、相手の重心はさらに後ろに傾いた状況になっている。その瞬間に、軸足を踏み出して支釣込足に変化しよう。

相手が踏ん張って重心を後ろにする状況を作る

Point 1

相手の重心を後ろに傾けさせるため、まずは払腰をしかけよう。このとき、できるだけ相手と密着しながら払腰をかけるよう意識しておく。身体が密着していない状態の払腰よりも、密着させている方が、より相手の重心が後ろに傾くようになるからだ。

踏み出してオーバーになったところで変わる

Point 2

ポイント1から一旦体勢を戻し、再度、刈足を踏み出して払腰をかける動作に入るが、このとき、相手の重心の位置をよく見ておくことが重要だ。相手が払腰を警戒し、重心を後ろに傾ける動きが見えたら、軸足を前に踏み出して瞬時に方向を変えよう。

刈足を膝下部分に当てハンドルを回すように投げる

Point 3

ポイント2で軸足を前に踏み出したら、No.33で解説したポイント3同様、釣手と引手を使って上半身でハンドルを回す動きを利用しながら支釣込足に変化しよう。ハンドルを回す動きは、その動作が大きければ大きいほど効果的なので、常に意識しておこう。

ステップアップ

ビッグ6は思い切り打つ

連絡技で、まずビッグ6を先に打つケースでは、相手の返し技を警戒しながらも、できるだけ思いっきり打つことを心がけよう。その後、連絡技に変化した場合に、相手の受けの反応が大きくなるので、より効果的になるからだ。

ビッグ6を思い切り打つと、後の反応が大きくなる

小外刈から払腰の流れ

小外刈から払腰

No.37 区画C（相四つ・対低身長）

相四つで払腰に入る時、相手の刈足が邪魔でスペースがないなら、小外刈で軸足を引かせスペースを作り、相手の膝下を跳ね上げる

相四つの自分よりも小さい相手と対戦するとき、払腰も効果的な技と言えるが、相四つであるため、相手の刈足（前足）が邪魔になり、自分が身体を回転させるスペースが確保できない場合がある。このようなときは、払腰に入る前に、一度小外刈をかけて軸足を引かせてしまおう。相手が足を引いてスペースを作れたら、その広いスペースを利用して身体を回転させ、刈足で相手の膝下を跳ね上げよう。刈足は高く上げ過ぎないように注意し、できるだけ低い位置を払うよう心がけておこう。

小外刈のフェイントを入れ軸足を引かせる

Point 1

密着した状態から相手の軸足に自分の刈足を引っ掛け、小外刈を意識させよう。軸足を攻められると、相手は受けのバランスが崩れることになり、結果、軸足を引く動きが見られるようになる。この軸足を引く動きを利用して、小外刈から払腰に変化しよう。

相手との間を空け回転するスペースを作る

Point 2

ポイント*1*で相手が軸足を引くと、そこに払腰に入るためのスペースが生まれることになる。

このスペースが生まれた瞬間を逃さないためにも、小外刈で刈った足を着地させたら、瞬時に軸足を回す体勢を整えることを意識しておくことが重要だ。

軸足を刈足の近い位置で回転させ刈足は高い位置を払わない

Point 3

ポイント*2*で生まれたスペースで身体を回転させるときは、軸足をできるだけ刈足に近い位置で回転させることが望ましい。身体を回転させて跳ね上げる際、相手の足の高い位置を払わないよう注意しておこう。できるだけ膝下を払うことを意識しよう。

ステップアップ

軸足の攻略

相四つの場合も、ケンカ四つのケースでも同じだが、相手は軸足を中心に立っていることが多い。この軸足が安定していないと、受けの安定性も崩れてしまうのは、相手も自分も同じことだ。

そこで、できるだけ相手の軸足が動くような、あるいは相手の軸足を動かすような技術を身につけると、攻略しやすくなる。ここでは、ポイント*1*で解説したように、軸足の攻略法として小外刈で相手の軸足を攻め、意識させながら払腰に連絡する方法を解説している。

大外刈から小内刈の流れ

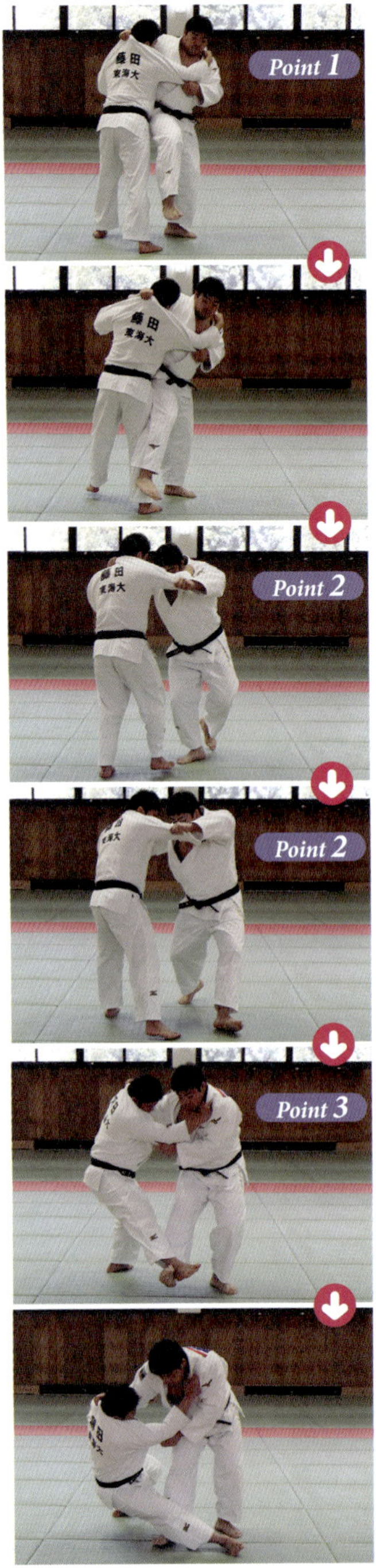

大外刈から小内刈

No.38 区画Ｃ（相四つ・対低身長）

大外刈を警戒する相手には、大外刈を見せておき、引手を閉じて小内刈に変化する

相四つの自分よりも大きい相手と対戦する選手にとって、大外刈は脅威となる技のひとつだ。そのため、相手は大外刈を警戒し、刈足を引いて重心を後ろに移動させる。この動きを利用して大外刈から小内刈に変化すると、相手は重心を後ろに移動させているため、比較的投げやすい連絡技となる。小内刈をかける際は、引手を閉じることを意識しておこう。閉じておかないとスペースが生まれ、小内刈が届かなくなるからだ。そして、最後まで引手を閉じたまま、相手の踵を刈り倒そう。

大外刈で刈足を引かせ重心を後ろに移動させる

Point 1

大外刈をかける際は、ひし形のボックスを壊し、相手と胸を合わせようとする動作が入る。その後に、大外刈の動作に入り、相手を警戒させよう。技を回避しようと刈足を後ろに引いたときに、重心も移動するので、この動きを利用して小内刈に変化しよう。

相手が下がったら引手を閉じる

Point 2

ポイント*1*で大外刈をかけたら、再度、大外刈と見せかけるために、軸足を踏み出し、引手を自分の腹に付けるようなイメージで閉じよう。このとき、引手を閉じないと、スペースが生まれてしまうので、小内刈に変化しても届かなくなってしまう。

引手を閉じたまま小内刈をかける

Point 3

ポイント*2*で引手を閉じると解説したが、その引手を閉じた状態のまま、刈足を相手の刈足の踵に当てるようなイメージで小内刈をかけよう。小内刈をかけるとき、引手は閉じたままにし、緩めないよう意識しよう。緩めてしまうと、相手に逃げられることになる。

ステップアップ

高低差はより大きく

No.*32*（P75）のポイント*2*でも述べたように、柔道において高低差は、より有効な攻撃手段だ。背負投や大外刈など、目線を上げさせる技は、できるだけ大きく入ろう。大きく入れば入るほど、相手の目線が上がるため、瞬時に連絡した低い技への反応を鈍らせることができるからだ。この高低差は、巴投や肩車などの技にも応用できる。

高低差が大きいほど効果的になる

大内刈から体落の流れ

No.39 区画D（ケンカ四つ・対高身長）

ケンケンの大内刈で押し込み 相手が足を外したら、その瞬間に体落に連絡する

ケンカ四つで身長の低い選手が自分よりも大きな選手と対戦するとき、ケンケンで相手を押し込む大内刈が有効であることはNo.*31*で解説した。ケンケンで相手を押し込むと、場合によっては足を外されてしまうこともよく見られる。そのときは、体落に連絡すると、より効果的だ。

ケンケンをしているとき、相手は後ろに倒されたくないので、重心を前に移動させており、足を外した瞬間は重心が前がかりになっているので、体落が効果的になるのだ。

引手と釣手でボックスを固定したまま押し込む

Point 1

まずは、引手と釣手でボックスを固定したまま大内刈をしかけよう。ケンケンで相手を押し込むことになり、これで後ろに倒せればいいが、当然、相手は後方に倒されたくないので、重心が前に移動することになる。この相手の重心の移動を利用して体落で投げよう。

足を外されたら瞬時に体落の体勢を整える

Point 2

ポイント1でケンケンで後方に押し込むと、相手が足を外した瞬間、重心は前がかりになっている。このタイミングを逃さず、自分の刈足が着地した瞬間に体落に入る体勢を整えよう。このタイミングが遅れると、相手のバランスが安定し、技を連絡するのが難しくなる。

ひし形ボックスへ移行し身体を回転させて投げる

Point 3

ポイント2で体落の体勢を整えたら、ひし形ボックスへ移行し、そこで生まれたスペースを利用して身体を回転させよう。身体を回転させるときは、腕時計を見るようなイメージで引手を引き上げ、横に回転する力を利用して体落で相手を投げればいい。

ステップアップ

相手の重心の位置を見極めよう

ケンケンの大内刈をしかけたとき、相手が後ろに下がらない場合は、前に重心を置いているので、前技に変化した方がいい。左の写真は、逆に後ろに重心があるので、後ろの技が効果を発揮する。ケンケンをしながら、相手の重心の位置がどこにあるのか、反応をよく見ておこう。

大内刈から足払の流れ

No.40 区画D（ケンカ四つ・対高身長）

ケンケンの大内刈で足が外れたとき重心が後ろに残っているなら、その瞬間に足払に連絡する

No.39では、ケンカ四つで自分よりも大きな相手に対し、大内刈から体落への連絡技を解説した。ここでは、同じ大内刈から、体落ではなく足払に連絡して投げる方法を解説していく。No.39では、相手が足を外した瞬間の体勢が前がかりになっていることが前提だった。しかし、状況によっては、同じ足を外した場合でも、こちらの勢いに押されたままで重心が後ろに残っている場合もある。このような状況では、前技である体落よりも、足払の方がより効果的になってくる。

引手を閉じて斜めの大内刈をかける

Point 1

No.39同様、大内刈をかけるときは、引手と釣手を閉じてボックスを作り固定しておこう。ケンケンで相手を押し込むことになり、大内刈で倒せるなら、そのまま倒してしまおう。相手を押し込む方向は、相手の外くるぶしの方向がもっとも効果的なので覚えておこう。

足が外れたとき、重心が後ろに残っている瞬間を利用する

Point 2

大内刈で相手を倒すことができず、足を外されたとしても、こちらの勢いに押され、重心を後ろに残しているのであれば、軸足を大きく前に踏み出し足払に変化して投げることを考えよう。相手の重心が前後のどちらにあるか瞬時に判断して連絡する技を決めよう。

相手の足は2本とも払う

Point 3

足払をかけるとき、刈足は、自分に近い側の足だけでなく、相手の両足をまとめて2本とも払うよう心がけておこう。このとき、自分の腹を前面に出すようなイメージで足を払うと、より威力が増して、効果的に相手の足を払うことができるので、覚えておこう。

ステップアップ

足払はお腹でしかける

ケンケンの大内刈から足払の流れにおいて、足払は相手の足を2本とも払うイメージで技をしかけよう。奇麗に足1本だけを払おうとするよりも、より効果的だ。また、足を払う際は、自分のお腹を前に出し、刈足全体で払えるかがポイントとなる。お腹を前に出すようなイメージで払った方が、払う足が力強くなるのだ。

足を払うときは、お腹を前に出すイメージで

一本背負投から小内刈の流れ

一本背負投から小内刈

No.41 区画D（ケンカ四つ・対高身長）

一本背負投を警戒して腰を引くなら、瞬時に小内刈に切り替えて後ろに倒す

ケンカ四つで、自分より大きい相手と対戦する場合、一本背負投は効果的な技のひとつであることは、No.21、No.22で解説した。お互いが釣手のみを持っている状態で一本背負投をかけようとしたとき、相手が腰を引き、重心を後ろに傾けて防御するのを感じたことがある選手は多いだろう。このように防御しようとする相手に対し、その重心移動を利用して、小内刈に変化し後ろに倒せば効果的な連絡技となる。ただし、小内刈に変化するとき、顔を上げると返される危険性が高くなるので注意が必要だ。

一本背負投に入るとき相手の動きを見ておく

Point 1

相手を前方に引き出し、一本背負投に入ろうとする瞬間、相手の動きをよく見ておこう。警戒して腰を引くようであれば、ポイント2のように小内刈に移行しよう。一本背負投に入るとき、釣手は下からよりも上から持っているケースの方が相手はより警戒する。

一本背負投をかけると見せかけ相手に腰を引かせる

Point 2

一本背負投の動作に入り、相手が警戒して腰を引いて重心を後ろに傾けたら、回転するのをやめ、半身のまま刈足を相手の足の間に入れ、ふくらはぎを使って小内刈をしかけよう。このとき、顔を上げてしまうと、相手に返されるので注意しておこう（詳細はコラム参照）。

相手の方に顔を向けながら投げる

Point 3

小内刈をかける際は、上半身を相手に密着させ、潜り込むようなイメージで技をかけよう。このとき、できるだけ相手の方に顔を向けるよう意識しておこう。相手の方に顔を向けておくと、自分の上体が伸び上がるのを押さえることができるからだ。

ステップアップ

顔を上げると返される理由

ポイント2で、小内刈の動作に入るとき、顔を上げてしまうと返されると解説した。その理由は、顎が上がることで前への推進力が弱くなってしまうからだ。推進力が弱まると、相手の逆襲を許すことになり、帯を掴まれて返されるなど、対応される危険性が高くなる。この理由から、小内刈をしかけるときは、顔を上げないように注意しておくことが重要だ。

内股から小外刈の流れ

内股から小外刈

No.42 区画Ｆ（ケンカ四つ・対低身長）

内股をこらえようとして重心を後ろに傾けるなら、瞬時に引手を閉じて小外刈に切り替える

自分より大きい相手と対戦する選手にとって、内股は脅威を感じる技のひとつだ。そのため、内股に入ろうとした瞬間、踏ん張って重心を後ろに傾けることがある。この動きを利用し、小外刈に切り替えれば投げやすくなる。この連絡技では、引手の使い方が、技を決める大きなポイントのひとつだ。内股では相手の引手を引き上げ開いた状態にするが、小外刈では逆に、引手を下げて閉じる状態にする必要がある。単純に下半身の動作を切り替えるだけでなく、引手の使い方をマスターしよう。

Point 1

内股を警戒し、踏ん張って上体を反らせた瞬間を狙う

背の低い選手を内股で投げようとしたとき、相手がそれを警戒し、投げられないようにしようと、上体を反らせて踏ん張ることがある。このような状態のとき、相手のその体勢を利用して、瞬時に技を切り替えて内股から小外刈に移行すれば、相手を投げやすい。

Point 2

足を上げて相手の反応を見る

内股に入ろうとする直前に足を上げ、相手がどのような反応をするのか見てみよう。相手の上体が反って、踏ん張ろうとしているようであれば、内股から小外刈に切り替えよう。その際は、引手を閉じて小外刈をしかけやすい体勢を整えるよう意識する。

Point 3

内股のときは開き小外刈のときは閉じる

ポイント2で、小外刈に切り替えるとき、引手を閉じると解説した。この「閉じる」動作を行わず、引手を内股のときと同じ開いた状態で小外刈をかけてしまうと、相手に技を返されてしまう危険性が極めて高くなる。引手の切り替えは連絡技を成功させる重要なポイントだ。

ステップアップ

透かし技を見極める

ケンカ四つで相手が背が低い場合、相手は透かし技や返し技を狙っているケースが多く見受けられる。そのため、内股や払腰をしかけながら相手の反応を見定め、何を狙っているのか見極めよう。また、ポイント3で解説した引手の『閉じる』と『開く』について、切り替えを早くすることで、相手の動きを逆手に取ることを試してみよう。

透かし技を狙われているか見極めることが重要（写真は内股透かし）

内股から小内刈の流れ

内股から小内刈

No.43 区画Ｆ（ケンカ四つ・対低身長）

内股を警戒して 重心を後ろに傾けたら、 引き上げていた引手を瞬時に閉じて 小内刈に変化して投げる

No.42では、内股から小外刈の連絡技を解説したが、ここでは、同じ内股から小内刈に切り替える連絡技を解説する。内股を警戒する相手は、内股に入ろうとすると踏ん張って重心を後ろに傾けるので、この動きを利用するのは小内刈も同じになる。小内刈の場合は、相手の足の間に跳ね足（刈足）を入れて、相手の軸足を後ろから刈ることにある。技のかけやすさや、自分に合う合わないということもあるだろうが、どちらも同じように変化できる技術を身につけておけば、技のレパートリーが広がる。

内股を警戒し、踏ん張って重心を後ろにかけた瞬間を狙う

Point 1

No.42同様、背の低い選手を内股で投げようとしたとき、相手がそれを警戒し、投げられないようにしようと、重心を後ろに傾けて踏ん張ることがある。このような状態のとき、瞬時に技を切り替えて内股から小内刈に移行すれば、相手を投げやすくなる。

小内刈に入る直前引手を閉じる

Point 2

内股をしかける際は、当然だが引手を引き上げている。しかし、相手が内股を警戒して、重心が後ろにかかっていると判断した場合は、即座に引手を閉じて、小内刈に変化する準備を整えよう。引手の切り替えが瞬時にできることが、この連絡技のひとつのポイントだ。

釣手と引手で相手を固定し軸足を後ろから刈る

Point 3

ポイント2で、小内刈に切り替えたら、刈足を相手の軸足の後ろに当て、釣手と引手で相手を固定する。その状態から相手の刈足の踵を内側から刈ることで、内股から小内刈の連絡技が達成する。No.42の小外刈と、ここで解説した小内刈を使い分けて、技を広げよう。

ステップアップ

刈るよりも開くイメージ

No.34（P79）のステップアップで述べたように、小内刈は非常に便利な技だ。ここで解説した内股から小内刈に連絡するケースでは、小内刈は『刈る』イメージよりも、相手の足を内側から外に『開く』ようなイメージで刈るといい。このイメージで刈ることによって、相手の足が開きやすくなり、よりバランスを崩しやすくなるからだ。

相手の足を開くように刈ると効果的

永山竜樹選手の背負投（左の背負投）

2015年10月に行われた世界ジュニア選手権大会の決勝戦で、モンゴルの選手を投げたときの背負投です。相手が指導を1つ受けていたため、前に出てこなければいけない状況でした。私自身は、入ろうとする意識が強すぎると上手く技がかからないことが多いのですが、このときは相手が前に出てきたこともあり、勝手に身体が反応し、綺麗に技がかかり、一本が取れました。

このときの背負投もそうですが、特に外国の選手は、こちらがしっかり投げたつもりでも、相手の身体が回りすぎてしまい、背中が畳につかないことが多々あります。そのため、相手に背負投を打ったときは、引手と釣手で相手を自分の方に引き寄せ、しっかりと背中が畳につくようにコントロールすることを意識しています。

引手と釣手で相手を引き寄せ、
背中が畳につくようコントロールしている

第四章

組み際に投げる

しっかり組み合うのが柔道の基本なら、組み際に技をしかけるのは奇襲攻撃と言える。試合の流れを変えられるなどのメリットがあるので、状況に応じて技を繰り出してみよう。

No.44 基本事項

組み際に技をかける利点を理解する

本来、柔道は自分の組手を作ってから技を出すことが基本とされている。そのため、技を出す前に組手争いが生じているが、時折組み際に技を出すことができれば、相手にとって奇襲攻撃となり、意表を突くことが可能になる。

組み際に技をかける利点として、膠着した流れや、攻め込まれる時間が続いたときに、試合のペースや流れを変えられることが挙げられる。

意表を突く攻撃なだけに、こちらの動きを読まれることがないので、仮に投げることができなくても、相手に考えさせたり警戒させるなど、心を乱れさせることができるだろう。

しっかり組んで技を出すことは基本であり常套手段だが、常套だけではなく、意表を突く技を織り交ぜながら攻めれば、より広がりのある柔道を展開できるので利用してみよう。

Point 1

相手が攻撃を受ける準備を整えていない

柔道は基本的に、釣手と引手の両方を持って技をかけるため、いわゆる組み手争いで自分が有利になるための動作が必要になる。組み際に技をかけると、相手は心身ともに攻撃を受ける準備を整えていないことが多く、奇襲攻撃としての効果を発揮できる。

Point 2

試合のペースを変えられる

お互い攻めきれず膠着状態が続いてしまった場合や、相手に攻め込まれる時間帯が続いてしまった場合など、組み際に技をかけることで、試合のペースを変えることができる。また、攻めの姿勢を審判に見せることで、消極的姿勢の反則も免れることも可能だ。

Point 3

相手にこちらの動きを読まれない

ポイント*1*で奇襲攻撃としての効果を発揮できると解説したが、これは相手にこちらの動きを読まれるのを防ぐ効果もある。また、しっかり組んでくるのか、また組み際に技を出してくるのかなど、相手に考えさせることもでき、相手の心を乱すことも可能な攻撃と言える。

ステップアップ

柔道は相手だけでなく審判との戦いもある

柔道は対人競技だが、実は戦っているのは対戦相手だけではない。判定を行う審判の「目」も意識して試合を進めないと、反則を取られるなど、不利な状況に陥る場合がある。特に組み際に技を出す場合は、かけ逃げなどの偽装攻撃の反則を取られることもあるので、それを防ぐため、引手あるいは釣手で、片方の軸を作っておこう。たとえ投げることができなかったとしても、軸を作って技をかけておくと、攻撃的な姿勢を審判にアピールできるので、印象を変えられる。

一本背負投・小内巻込の流れ

一本背負投・小内巻込

No.45 区画Ａ（相四つ・対高身長）

引手を相手の胸に当てて間合いを取り、目線を上げて一本背負投を、そのフェイントで小内巻込も有効

相四つで自分よりも背の高い相手と対戦する場合、組み際に技をかけようとするなら、相手に引き付けられて間合いを潰されることを避ける必要がある。

そこで、引手は相手の胸付近を握り、胸を突いて間合いを取っておこう。間合いが確保できているのであれば、一本背負投をかけたり、あるいは背負投をフェイントにして小内刈に変化することもできるだろう。小内刈をかける場合は、体勢を低くして小内巻込気味に入ると、より効果的と言えるので覚えておこう。

引手を相手の胸に当て間合いを取っておく

Point 1

相四つで自分より大きい選手の場合、相手はボックスを潰して引き付けようとするものだ。そのため、引手で襟を掴んだら、その後、袖を持つのではなく、相手の胸の付近を突いて軸にしておこう。外手首・外肘を使って引き付けられないよう、間合いを取っておく。

目線を上げておいて一本背負投をかける

Point 2

ポイント1で間合いを確保したら、目線を上げたままにして、瞬時に回転して一本背負投をかけると効果的だ。このときは、挟みこむような形で釣手を相手の脇の下にしっかり入れ、自分の背中と相手の胸がしっかり合うように回転するよう心がけておく。

背負投のフェイントから小内巻込に変化する

Point 3

ポイント2では一本背負投を解説したが、背負投をフェイントにして小内刈に変化してもいい。この場合は、小内刈というより、低い体勢からの小内巻込をイメージしよう。対高身長であれば、目線から消えるので、より有効な技となる。引手が取れない場合も有効だ。

ステップアップ

区画Aの相手には、より目線を上げさせる

相四つで自分よりも背の高い相手と対戦する場合は、相手の懐に潜ることが望ましい。No.38（P87）のステップアップで解説したように、高低差は有効な攻撃手段なので、よりオーバーに一本背負投をしかけ、相手の目線を上げさせることで、小内巻込への対応を遅らせることができると同時に、相手の懐に潜りやすくなる。

オーバーに一本背負投をしかけて、相手の目線を上げさせる

大外刈の流れ

No.46 区画Ｂ（相四つ・対同身長）

釣手を取りに行くフリをして片襟を持ち、相手の腰が引けた瞬間に軸足を踏み込み大外刈で投げる

相四つで自分と同じ身長の相手と対戦する場合、組み際に技をかけようとするなら、まずは引手を取り、自分の方に引き付けて固定させ、軸を作っておこう。そして、釣手を取りにいくフリをして、瞬時に片襟を取れば、引手を軸にした大外刈や体落といった技が効果的だ。大外刈の場合は、引手を軸にしていること、かつ釣手を持っていないことから、前に踏み出す大外刈だけではなく、軸足で回転しながら横に投げる大外刈も使うことができる。同じ方法として、体落も効果的な技となる。

釣手を取りにいくフリをして片襟を持って動かす

Point 1

引手を引いたら、次に釣手を取りに行くが、組み際に技をかけるのであれば、釣手を取りに行くのをフェイントにして、片襟で意表を突いてもいい。最初から片襟を取りにいく姿勢を見せるよりも、あくまでも釣手を取りに行くフリをして、瞬時に変化して片襟を取ろう。

相手の腰が引けた瞬間を狙う

Point 2

片襟を持ったときの相手の状態、体勢をよく確認しよう。相手が背負投や体落などの前に投げる技を警戒し、腰が引けて重心を後ろに下げるようなら、後ろに投げる技である大外刈が効果的だ。また、組み際の相手の腰が引けた瞬間を狙って技をしかけることが重要だ。

前に踏み出す大外刈だけでなく軸足で回転しながら打つ方法もある

Point 3

片襟が取れたら、釣手は固定したまま、軸足を前に踏み出し大外刈をしかけよう。このとき、軸足を踏み出さずに、回転させながら大外刈をかける方法もある。同じ大外刈でも入り方が違ってくるので、練習で試しながら、自分に合う入り方を探してもいいだろう。

ステップアップ

片襟の体落も効果的な技

ポイント3では、軸足を踏み出しながら打つ大外刈を解説した。同時に、軸足で回転しながら横に投げる大外刈の方法も紹介したのは、片襟の特徴を活かすためである。この軸足で回転しながら投げる方法であれば、大外刈だけではなく、体落も効果的な技と言える。体落は横回転の技なので、受けの対処も難しくなるからだ。相手の受けの反応を見ながら、状況に応じて使い分けられるようにしておくと、試合で大きな効果を発揮することができるだろう。

大内刈の流れ

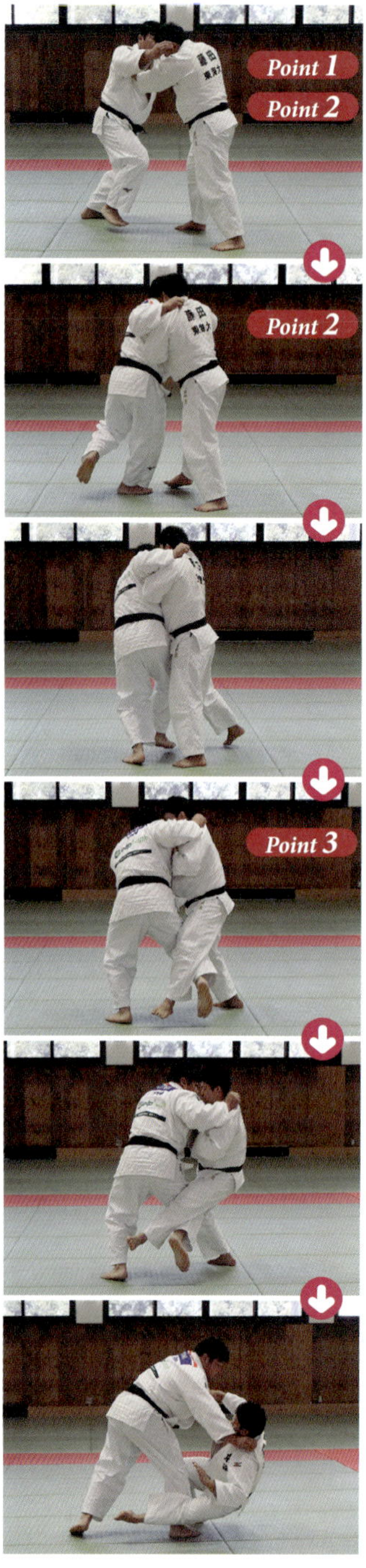

No.47 区画C（相四つ・対低身長）

相手が防御する姿勢を利用し、瞬時に背中を取って後ろに倒す技をかける

相四つで自分より身長の低い相手と対戦する場合、相手に動かれたり釣手を絞られたりすることがある。これを防ぐためにも、まずは引手で相手の胸付近の襟を掴み、軸を作ろう。その後に釣手は奥襟や背中など、なるべく高い部分を取り、相手の首を押さえるように心がけよう。この際、状況によっては片襟を取ってもいいだろう。首を押さえると、相手の重心が後ろにかかることが多いので、その瞬間を逃さず大内刈や大外刈をかければ、組手が不十分でも効果は得られるだろう。

相手が防御している状況を利用する

Point 1

相四つで低身長の相手の場合、極度に組むことを嫌う選手というのが存在する。写真のように釣手で胸を突いて間合いを確保したり、組手争いをしているフリをする場合など様々だが、いずれの場合でも相手に組手の部分を意識させる状況を利用することが望ましい。

奥襟や背中など首根っこを取り技に移行する

Point 2

組み際に技を出すことを考えたとき、釣手はなるべく上の部分、奥襟や背中を取り、相手の首を押さえてしまいたい。首根っこを押さえれば、首を固定できるため、相手の動きを制限できる。なお、奇襲という側面を考えれば、片襟を取って技に入ってもいい。

状況に応じて大外刈や大内刈で相手を投げる

Point 3

ポイント2で首根っこを押さえると、重心が後ろにかかることが多くなる。そこで、状況に応じて大内刈または大外刈が効果的な技となってくる。片襟を取ったときも同様だ。組手そのものが十分でなくても、相手の重心が後ろにあるため、投げる可能性が高くなる。

ステップアップ

釣手を意識させる

釣手で引き付けるイメージを持たせ、相手の目線を上げさせる

ここで解説した組み際のケースでは、相手に圧力をかけながら、ポイント2で触れたように、釣手で相手を引き付けるイメージを植え付けさせている。そうすることで、自然と相手の目線は上がり、組み際の大内刈への反応を鈍らせることができるのだ。

背負投（スイッチ）の流れ

No.48 区画Ｄ（ケンカ四つ・対高身長）

組み際に釣手で相手の袖を引手で片襟を持ち、スイッチの背負投をしかければ相手の意表を突いた技になる

ケンカ四つでは、お互い釣手が前に出ることになる。素直に釣手を取りに行ったのでは、組み際に技を出すのは難しい。そこで、釣手を瞬時に袖に持ち替えて、スイッチ式の背負投をしかければ、組み際に投げる可能性が高くなる。この場合、本来なら引手を取る手で片襟を取り、その瞬間に背負投を繰り出そう。意表を突くことになるので、相手は受ける準備ができていないはずだ。左右逆の動きをすることになるので、通常の背負投にも増して、重心のバランスを崩さないよう注意しよう。

間合いを詰めにくる瞬間 相手の袖を抱き込む

Point 1

ケンカ四つの場合、相手は釣手側の足を前面に出している。この状況を利用して片襟の背負投をかけるので、本来なら襟を持つ釣手を、一瞬で袖に持ち替えよう。袖に持ち替えるときは、内側から相手の釣手を抱き込むようなイメージで、袖を取るようにしよう。

逆の片襟を掴み 身体を回転させる

Point 2

ポイント1で相手の袖を抱き込むように取ったら、抱き込んだ腕を腕時計を見るようなイメージで引き上げよう。同時に、本来、引手を持つ手で片襟を取りながら、背負投に入るための、身体を回転させる準備を整えておこう。できるだけ素早く準備しよう。

片襟の背負投で相手を投げる

Point 3

ポイント2で身体を回転させる準備が整ったら、身体を回転させながら片襟の背負投をしかけよう。瞬時に釣手と引手をスイッチさせているため、身体を回転させるときは、通常の背負投に増して、重心のバランスが崩れないよう心がけておくことが重要だ。

ステップアップ

スイッチは素早く

ここで解説したスイッチ式の背負投では、左右まったく逆の動きになる。そのため、いかに素早くスイッチすることができるかが、重要なカギとなる。右でも左でも同じような動きができるよう、日頃から練習しておくことが重要だ。

スイッチしない場合の背負投の動き（右）と、スイッチした場合の背負投の動き（左）。まったく逆の動きになる

大内刈の流れ

No.49 区画Ｅ（ケンカ四つ・対同身長）

引手で相手の横腹を取り、釣手と引手を閉じて固定させてケンケンの大内刈で押し倒す

ケンカ四つでは、引手を取るのが難しい。組み際に技をかけることを考えると、なおさらだ。このような場合、相手が自分と同じくらいの身長なら、釣手は縦手首・縦肘を使って下から軸を作っておこう。

その後に引手は相手の袖ではなく、道衣の横腹付近を掴み脇を閉じて固定させ、大内刈をかけるのが効果的だ。この状況では、崩しを入れていないため、相手はケンケンで下がるので、相手の立っている足の外くるぶしの方向に押していくことを心がけよう。

釣手を下から持ち引手で相手の横腹付近を取る

Point 1

ケンカ四つで身長が同じくらいの相手であれば、釣手は縦手首・縦肘を使って下から持とう。ケンカ四つでは元々引手を取りにくいので、組み際の場合は、引手は袖ではなく、相手の横腹付近の道衣を握り、脇を絞めながらコントロールすることを心がけよう。

釣手と引手を閉じて固定させ大内刈をかける

Point 2

ポイント1で横腹付近を掴んだら、両手を閉じてボックスを固定させ、大内刈をかけよう。崩しを入れているわけではないので、足を刈ると相手はケンケンで逃れようとするので、そのまま上体を固定し、コントロールしながら押していこう。

ケンケンできない方向に相手を押して倒す

Point 3

ポイント2でケンケンで相手を押していくと解説したが、このとき相手を押す方向は、立っている足の外くるぶしの方向、つまり斜め後ろに押していくことになる。この方向はケンケンできず、バランスを崩しやすいので、より相手を倒しやすくなるのだ。

ステップアップ

横腹引手は素早く固定

ここで解説したケースでの大内刈で重要になるのは、ポイント1で触れた相手の横腹を持つ引手だ。横腹を持った引手が伸び切った状態であれば、逆に相手に引手を引かれるチャンスを与えてしまうので、横腹を持ったら、素早く脇を絞め、相手が引手を持っても引かれないよう心がけよう。

横腹を持った引手は、素早く脇を絞めて固定させる

隅返の流れ

No.50 区画F（ケンカ四つ・対低身長）

ケンカ四つの小さい相手は釣手を封じて身体全体を包み込み、自分の刈足を相手の両足の間に入れて隅返で投げる

ケンカ四つで背の低い相手と対戦をする場合、釣手を持って動かれるのは厄介だ。そこで、相手の釣手を封じる方法として、引手で押さえてしまおう。相手の釣手を封じたら、自分の釣手は相手の背中に回し、身体全体を包み込むように抱き込んで、隅返をしかけよう。相手の背中に回した釣手は、長く持ちすぎると反則を取られるので注意しておこう。即座に自分の刈足を相手の両足の間に入れ込みながら隅返をしかけ、投げ終わるまでしっかりと相手をコントロールし続けよう。

相手の釣手を引手で押さえておく

Point 1

ケンカ四つで相手の背が低い場合、相手の釣手を封じる方法として、写真のように引手で釣手を押さえてしまう方法もある。小さい選手というのは、自分よりも大きい相手に包み込まれるのを嫌う傾向にあるため、この組手は効果的であると言えるので覚えておこう。

相手の背中に手を回す

Point 2

ポイント*1*で引手で相手の釣手を持ったら、その瞬間に自分の釣手を相手の背中に回しながら、相手の身体全体を包み込むように抱き込んでしまおう。ただし、この組手は長く持ちすぎると片襟の反則を取られてしまうので、素早く行うことが重要だ。

相手の股に足を入れて回す

Point 3

ポイント*2*で相手の身体を包み込んだら、その瞬間に自分の刈足を相手の両足の間に入れ込んで、隅返をしかけよう。隅返では、技のかけ始めから相手を投げ終わるまでの間、相手をコントロールし続けることが重要になるので、最後まで集中して技をかけよう。

ステップアップ

モンゴルの選手が得意とする技

必ずしも組み際に限ったことではないが、相手の釣手を自分の引手でおさえ、その後、抱え込むようにしかける小外掛は、モンゴルの選手が得意としている場合が多い。これはブフ（モンゴル相撲）に由来しているものであり、現代柔道を表している技術である。このように、国際化した柔道の中で、民族格闘技をベースとする技は、各国に存在している。日本の選手も、それらの技を使うかどうかは別として、その対応策を覚えるためにも、技術を貪欲に習得する意識を持つべきだろう。

本人が語る
世界と戦う柔道家の投げ技 4

中矢力選手の捨て身小内刈と一本背負投の連絡

　現在は反則ですが、足取りが反則ではなかった時代に、相撲で言う外無双に似た技（変形的な背負投）を使っていました。しかし、足取りが反則になり、技もそれに伴って変えなければいけなくなり、進化させたものが、この連絡技です。一本背負投と小内刈の間のような技と言えるでしょう。2014年に行われた世界選手権の三回戦ではこの一本背負投で、同大会の決勝戦では一本背負投から捨て身小内刈に変化して投げています。

　写真を見て分かるとおり、まずは一本背負投とも捨て身の小内刈とも取れるような入り方をします。このときは、相手を弾き飛ばすくらいの強さで入ることが重要です。この状態から相手の反応を見て小内刈をかけるのか、背負うのか判断します。ここでは一本背負投を打ちました。

相手を弾き飛ばして身体を浮かせるくらい強く低く身体を当てる

第五章

相手の技を誘い、利用して投げる

いわゆる後の先と言われる返し技。あえて相手に技を出させるよう仕向けておいて、技を出した瞬間にその動きを利用して投げるのも、柔道の技の奥深さのひとつと言える。

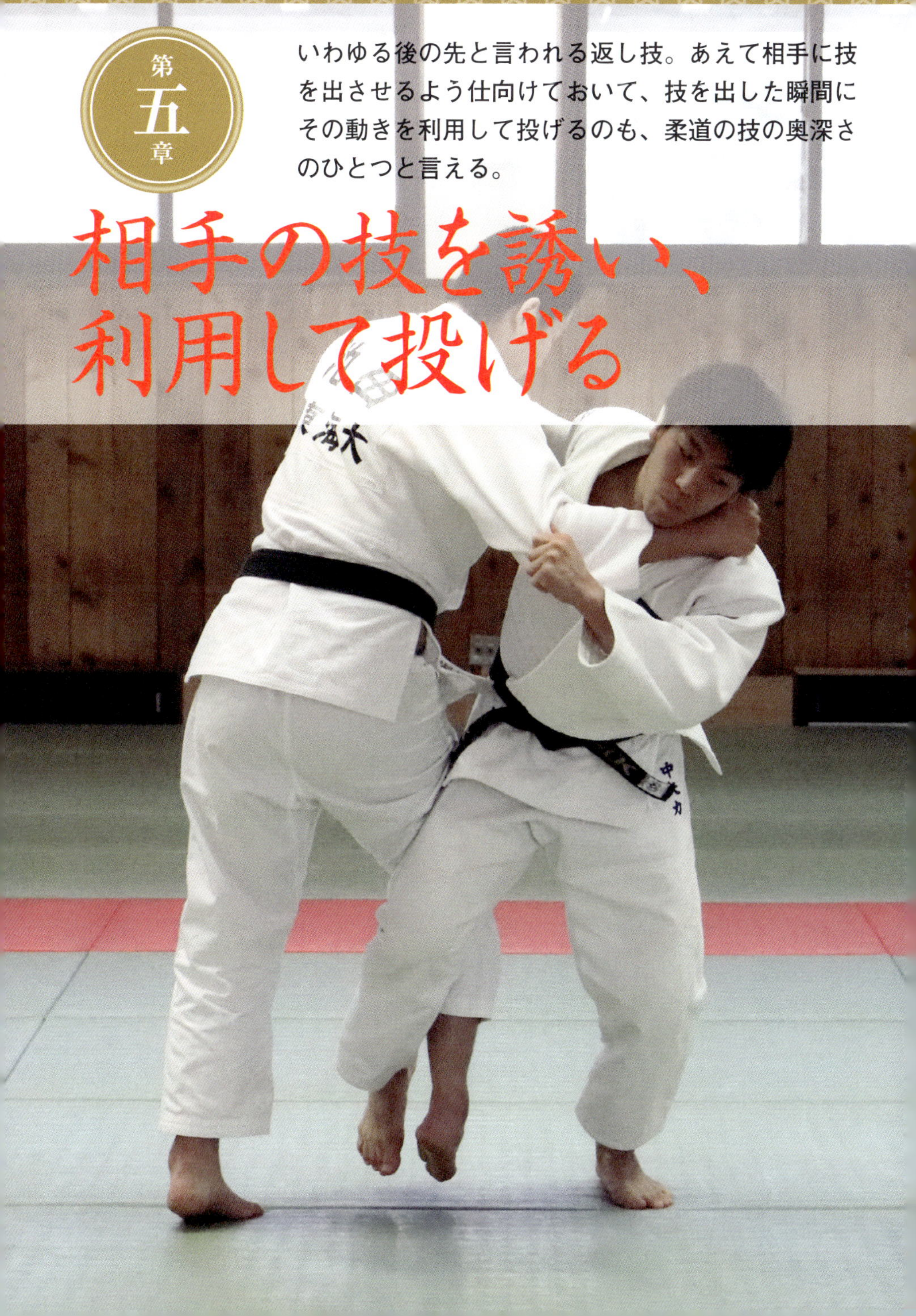

内股透かしの流れ

No.51 区画Ｄ～Ｅ（ケンカ四つ・対高身長～同身長）

引手を持たせて相手を誘い、脇を絞めて重心を安定させて足の間で相手を回す

ケンカ四つで相手が自分よりも小さい場合、内股はひとつの効果的な武器になる。逆に言えば、大きい相手と対戦するとき、わざと内股をかけるよう誘えば、相手も内股を狙ってくることが多くなるということだ。このようなときは、わざと相手に引手を持たせ、こちらは外引手を持ちながら内股を誘ってみよう。チャンスだと思った相手が内股にきた瞬間、足を上げて股の間で回せば、内股透かしのタイミングになる。この最大のポイントは、内股にきた瞬間、自分の引手の脇を絞めることだ。

相手に引手を持たせて技を誘う

Point 1

相手の技を誘いたいので、釣手を下から持ったら、相手に引手を持たせよう。その際、外引手で相手の袖を持ち、脇を絞めながら、少し余裕を与えてみよう。こうすれば相手が引手を引けるようになり、内股に入るチャンスだと思わせることができるようになる。

内股にきた瞬間脇を絞めて重心を安定させる

Point 2

相手が内股にきた瞬間、引手の脇を絞めて固定しよう。脇を絞めて固定することで身体の軸を作ることができるため、重心を安定させられる。逆にこのタイミングで脇を絞めておかないと、せっかく誘っても内股で投げられてしまうので、注意しておこう。

自分の足も同時に上げ軸をずらすように回す

Point 3

相手の足が上がったのと同時に、自分も足を上げよう。足を上げながら股の間で相手を回す。このときは引手を引いてやると、より相手を回しやすくなる。その際、自分の頭が下がらないよう注意しておこう。頭が下がると重心のバランスが崩れ、投げられる恐れがある。

ステップアップ

相手の跳ね足を透かす内股透かし

内股透かしには、ここで解説した方法の他に、左の写真に見られるような内股透かしも存在する。体の反応が速い、もしくは股関節が硬い選手は、こちらの内股透かしを覚えておくといいだろう。

燕返の流れ

No.52 区画D～F（ケンカ四つ・対高身長～低身長）

引手をさぐりながら刈足をわざと前に出し、足を上げて足払をかわし、燕返で投げる

足払は対戦する相手の身長に関係なく、効果的な技と言える。相四つ、ケンカ四つのどちらでも利用可能だが、ここではケンカ四つの相手を対象として、足払の返し技である燕返を解説する。

足払を誘うには、ケンカ四つであれば引手をさぐる状態のとき、あえて刈足を相手の前方に出すことだ。相手にとっては、自分の刈足の前に相手の足がくるため、それをチャンスと捉えて足払にくる可能性が高い。足払にきたら足を上げて足払をかわし、燕返を打つようにしよう。

引手をさぐりながら目線をずらさない

Point 1

相手の身長は問わず、また、釣手は上からでも下からでも、どちらでも構わない。釣手を取ったら、引手をさぐりながら刈足をわざと相手の前方に出そう。引手に関心が行っている風を装いながら、相手には、足払のチャンスだと思わせることが重要だ。

足払にきた瞬間足を上げてかわす

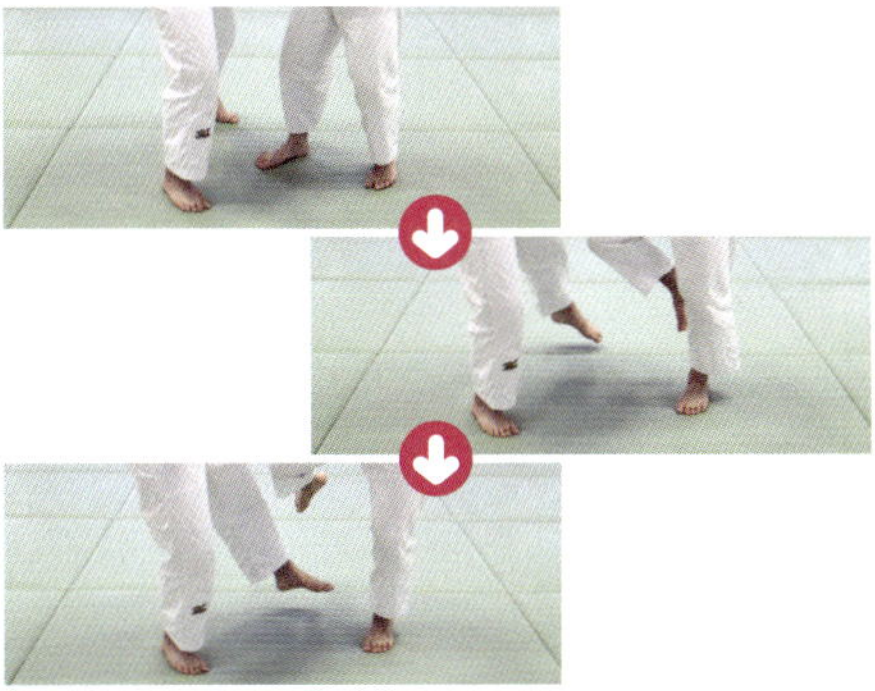

Point 2

相手が誘いに乗り、足払にきたら、その瞬間、足を上げて相手の足払をかわそう。せっかく誘ったにも関わらず、タイミングが遅れ、本当に足を払われてしまっては意味がないので、意識を集中しておこう。相手の軸足の動きを察知しておくことが重要になってくる。

足をかわしたら燕返を打つ

Point 3

相手が足払にきたら、足を上げて足払をかわし、燕返を打とう。一本にならなくても、相手は安易に足払にくることができなくなる効果が見込めるので、試合が進めやすくなる可能性もある。また、自分の重心バランスを意識し、素早く反応できる準備をしておこう。

ステップアップ

左右両足の反応を磨く

ここで解説した燕返は、右足左足関係なく、どちらの足でも反応できるような技術を身につけられるよう、練習しておこう。

慣れていなければ、はじめは意識しながらになるが、それでも構わず、身体に覚え込ませることが重要だ。徐々に慣れてきて、左右の両足とも、無意識に燕返が打てるようになると、自分にとって大きな武器となる。そればかりか、安易に足払を打つのは危険だと悟った相手にとっては、大きな脅威となり、試合を優位に進めることができるようになる。

大外返の流れ

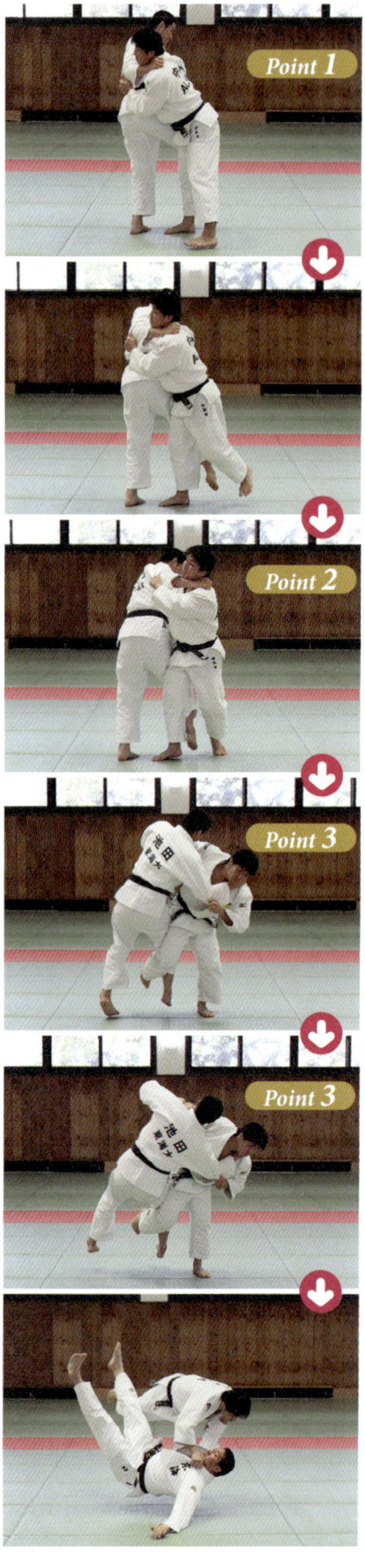

No.53 区画A～B（相四つ・対高身長～同身長）

刈足を前に出して誘い、大外刈にきた瞬間、軸足を刈り足に引き付けて大外返をかける

大きな相手と対戦するとき、あえて大外刈をかけさせ、それを返せれば勝機は広がる。この大外返では、相手が技にくると同時に対応しなければならないため、スピード・反応の勝負と言える。まず、自分の体勢を維持しながら刈足を前に出して、大外刈を誘おう。相手が大外刈にくると同時に、身体を沈み込ませながら軸足を引き付けて刈足に付ける。こうすると自然と半身になるため、相手の圧力を受け止めやすくなるという利点もある。この状態から相手を返せば、大外返で投げることができる。

刈足を前に出して相手を誘う

Point 1

相手が大外刈をかけたくなるように、あえて刈足を前に出して誘おう。このとき、自分の体勢、バランスを崩してしまうと返し技どころではなくなるので、しっかりと正方形ボックスを意識しながら、体勢を維持し準備を整えた上で、誘うための足を出すことが重要だ。

大外刈にくると同時に軸足を刈足に引き付ける

Point 2

相手が誘いに乗って大外刈にきたら、同時に反応し軸足を刈足に引き付けてしまおう。この反応が遅れてしまうと、本当に大外刈で投げられてしまうので、タイミングが遅れないよう注意しよう。上半身のバランスが崩れないよう心がけておくことも重要だ。

大外返で相手を投げる

Point 3

ポイント2で軸足を刈足に付けたら、相手よりも早く相手の刈足を刈ってしまおう。相手に刈られてから、それを返そうとしたのでは、返すことはできない。この大外返はリスクが高いので、上半身の固定と下半身の連動が重要になる。その点を意識しておこう。

ステップアップ

肉を切らせて骨を断つ

ここで解説した大外返のケースは、自分がやや不利な状態で、起死回生を狙うときに効果を発揮する技だ。そのため、一歩間違うと、もろに大外刈で投げられる危険性もはらんでいる。逆に、相手に大外返で返される危険があると意識させることができれば、相手のペースを狂わせることも可能であり、思い切って大外刈を打つことを躊躇わせることにもつながる。

そうは言っても投げられてしまっては元も子もないので、日頃から反応を速くする練習を重ねておこう。

大内返の流れ

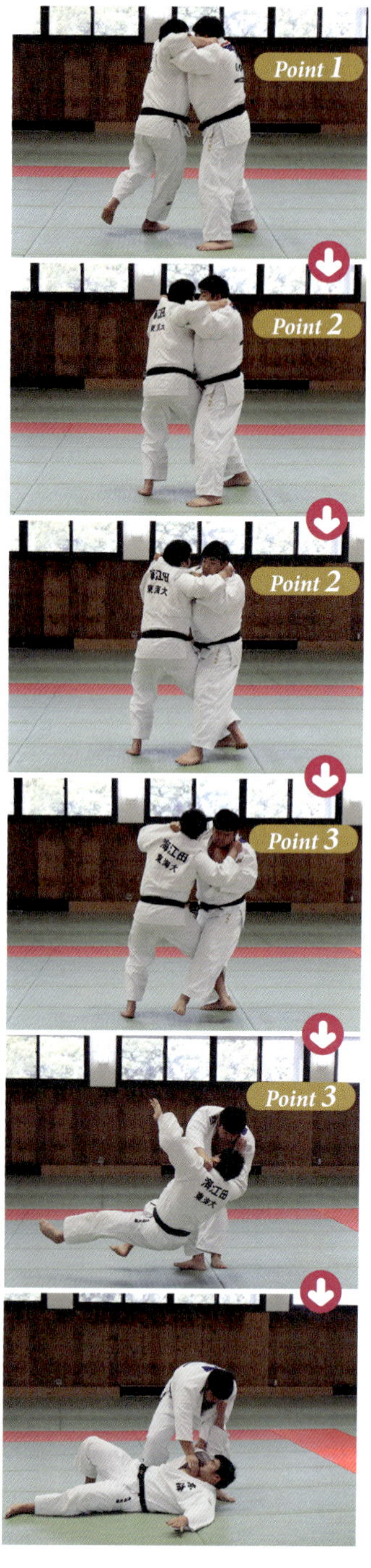

No.54 区画Ａ～Ｃ（相四つ・対高身長～低身長）

組手を緩めて相手を誘い、軸足を回転させて大内刈にくる瞬間、軸足を刈り足に変化させて返す

大内刈は相手の身長や相四つ、ケンカ四つの組手を問わず、多くの選手がかけてくる技のひとつだ。ここでは相四つの相手を対象とした大内返の方法を解説する。

相四つで組んだら、組手を少し緩めて、相手に入りやすいと思わせよう。軸足を攻めたいと相手が思っているなら、組手を緩めることによってチャンスと捉え、大内刈を誘いやすくなるからだ。相手が軸足を回転させて大内刈にきたら、その瞬間を狙って軸足を刈足にして大内返に切り返して投げることができる。

組手を緩めて相手を誘う

Point 1

組手そのものは相手の身長によって変わってくるが、大内刈を誘うのであれば、持ち方を問わず、組み手を緩めよう。こちらの軸足を攻めたいと思っている相手が、組手を緩めることによって入りやすいと感じ、大内刈を狙いにくることが多いからだ。

軸足を回転させて大内刈にくる瞬間を狙う

Point 2

こちらの誘いに乗り、相手が大内刈にこようとして軸足を回転させた瞬間を狙おう。大内刈は軸足を回転させて入るケースが多いからだ。その際、タイミングが遅れてしまうと、そのまま大内刈で投げられる危険性もあるので、相手の軸足の動きをよく観察しておこう。

刈足を軸足に変化させ軸足を刈足にして返す

Point 3

相手は大内刈でこちらの軸足を刈りにくる。そこで、瞬時に刈足を軸足に変化させて、元々軸足だった足を刈足として切り返せば、大内返で相手を投げることができる。刈足が軸足になるケースは少ないので、反復練習をして軸足を移す違和感をなくしておこう。

ステップアップ

刈足を軸足にする訓練を

ここで解説した相四つの大内返のケースは、いかに素早く刈足を軸足に移行できるかが重要なポイントとなる。ポイント3でも触れたが、試合のときはもちろん、普段の練習においても、無意識に軸足でバランスを取る練習をしていることが多いはずだ。無意識で行っていることだけに、目的意識を持ち、意識的に刈足を軸足にする訓練、つまり軸足を移す訓練をするよう心がけておこう。スムーズに軸足が移せるようになれば、ここで解説した連絡技も素早くスムーズになるはずだ。

No.55 区画Ａ～Ｂ（相四つ・対高身長～同身長）

相手に胸を合わせにこさせ、胸が合う瞬間に釣手と引手を持ち替え、軸足と刈足も入れ替えて投げる

ここでは相手の技を返すというよりも、誘っておいて胸を付けさせ、その状態を利用して投げる移腰（櫓投とも言う）を解説する。自分よりも小さい相手との対戦では、大きい選手は相手を引き付けて胸を合わせようとすることが多い。この動きを利用して、わざと胸を合わせにこさせておいて、釣手を引手に持ち替え、引手を相手に腰に回し抱えるようにして持ち上げてしまおう。足も軸足を刈り足に、刈足を軸足に変え、入れ替えた刈足を相手の股に入れながら投げれば、移腰となる。

相手がボックスを潰して胸を合わせにこさせる

Point 1

大きい選手が小さい相手と対戦するときは、ボックスを潰して胸を合わせようとすることが多い。引き付けてしまえば、体格差を活かして技に入れるからだ。そこで、相手がボックスを潰して真横になるよう誘おう。移り腰はこの体勢を利用して投げる。

一直線になる瞬間に釣手を引手に持ち替える

Point 2

相手が誘いに乗り、胸を合わせにきて一直線になった瞬間、釣手を引手に持ち替え、引手は相手の腰に回し、抱えるようにして腰をスイッチする。その際、自分の体勢がバランスを崩さないよう、両脇を絞めながら相手を抱える準備をしておくことが重要だ。

軸足と刈足を入れ替え、刈足を股に入れて投げる

Point 3

ポイント2で持ち替え、引手を相手の腰に回したら、軸足と刈足も入れ替わることになる。腰に手を回した状態から相手を持ち上げ、入れ替わった刈足を相手の股に入れながら投げよう。タイミングが遅れると、小外刈などを受ける危険性があるので注意しておく。

ステップアップ

誘い技はリスクも大きい

ここで解説した移腰に見られるような誘い技は、相手の不意を突くことで効果を発揮する。逆に、相手に見切られてしまっていた場合は、小外刈などの逆襲を受ける危険性が非常に高くなると言わざるを得ない。もちろん、移腰に限ったことではなく、他の誘い技も同様だ。そこで、誘い技、返し技を狙うなら、相手に悟られないような場面を作っていくことも重要だ。誘い技に持ち込むまでの試合の進め方や反応の仕方などにも注意して、確実に相手の不意を突く状況を作り出そう。

上水研一朗

東海大学男子柔道部監督、同大学体育学部武道学科教授。

1974年 6月7日生まれ、熊本県出身。八代第三中学、東海大相模高校を経て東海大学に進学し、卒業後は同大大学院に進み、綜合警備保障株式会社に所属。現役時代は重量級選手として活躍した。現役引退後は、米国アイダホ州立大学へ留学、帰国後の2008年1月より、母校の男子柔道部監督に就任。就任1年目から2014年にかけて、同柔道部を全日本学生柔道優勝大会7連覇に導き、その後、2016年から再び5連覇を達成。その他、ベイカー茉秋、高藤直寿、ウルフアロンの3名のオリンピック金メダリストをはじめ、中矢力、羽賀龍之介、橋本壮市、影浦心を世界チャンピオンに導くなど、卓越した指導力を発揮している。

東海大学男子柔道部のみなさん

撮影協力

永山竜樹

愛知県大成高校から東海大学へ進学。世界ジュニア、講道館杯、グランドスラム東京、世界マスターズ、全日本選抜体重別選手権優勝など数々のタイトルを獲得、2019年世界選手権60kg級銅メダル。小柄ながら破壊力抜群の担ぎ技、跳ね技を持つ。

王子谷剛志

東海大学付属相模高校から東海大学へ進学し、4年時の全日本選手権で初優勝。石井慧以来の学生での全日本王者となる。大学卒業後、旭化成に入社。2016、17年全日本選手権を連覇。その他、グランドスラム東京、パリ両大会優勝等、日本を代表する重量級選手。得意技の大外刈を中心にダイナミックな柔道を展開する選手。

中矢 力

愛媛県新田高校から東海大学へ進学し、4年時の2011年にパリ世界柔道選手権金メダル。大学卒業後、ALSOKに入社。翌年のロンドン五輪で銀メダルを獲得。2014年チェリャビンスク世界柔道選手権で2度目の金メダルを獲得した。担ぎ技を主体とした立ち技と寝技を得意とするいぶし銀が持ち味な選手。

小橋川元輝

松永昂大

浅利昌哉

海江田充輝

藤田圭一

池田希

STAFF

●企画・取材・原稿作成・編集
冨沢　淳

●写真
眞嶋和隆

● Design & DTP
河野真次

●監修
上水研一朗

東海大学男子柔道部監督、同大学体育学部武道学科教授。

一本がとれる！
柔道　立ち技 必勝のコツ 55　新版

2022年1月15日　第1版・第1刷発行

監　修　上水研一朗（あげみず けんいちろう）
発行者　株式会社メイツユニバーサルコンテンツ
代表者　三渡　治
〒102-0093東京都千代田区平河町一丁目1-8
印　刷　三松堂株式会社

◎「メイツ出版」は当社の商標です。

●本書の一部、あるいは全部を無断でコピーすることは、法律で認められた場合を除き、著作権の侵害となりますので禁止します。
●定価はカバーに表示してあります。

©冨沢淳,2018,2022. ISBN978-4-7804-2577-2 C2075 Printed in Japan.

ご意見・ご感想はホームページから承っております。
ウェブサイト　https://www.mates-publishing.co.jp/

編集長：堀明研斗　企画担当：堀明研斗／千代 寧

※本書は2018年発行の『一本がとれる！柔道　立ち技　必勝のコツ55』を「新版」として発売するにあたり、内容を確認し一部必要な修正を行ったものです。